Geneviève-Dominique de Salins / Sa
Université Paris III

PREMIERS EXERCICES DE GRAMMAIRE *junior*

HATIER / Didier

SOMMAIRE

Illustrations : Jean-Louis Goussé

© Les Éditions Didier, Paris, 1991   ISBN 2-278-03812-5

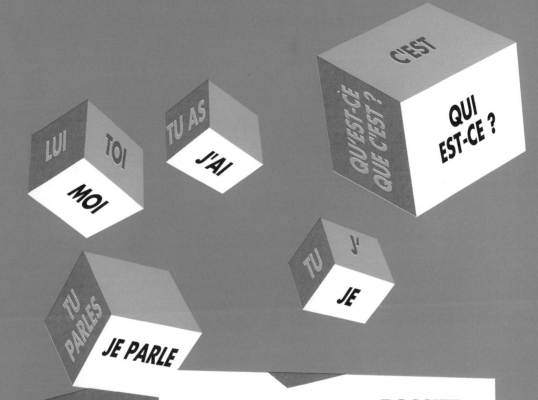

LUI TOI MOI

TU AS J'AI

C'EST QU'EST-CE QUE C'EST ? QUI EST-CE ?

TU PARLES JE PARLE

TU J' JE

DOSSIER 1
RENCONTRES

CONTACTS : À L'ÉCOLE

— Bonjour ! **Je** m'appell**e** Sonia.
  Et **toi**, comment **tu** t'appell**es** ?
— **Moi**, **je** m'appell**e** Julie.
— **Tu as** dix ans, **toi** aussi ?
— Non, **j'ai** onze ans, **moi**.

 ## CONTACTS : À LA PISCINE

1. — Bonjour ! ..... m'appell .... Tuca, et toi ?

   — Moi, ... m'appell .... Olga.

2. — .... ai dix ans. Toi aussi ..... as dix ans ?

   — Non, moi, j'...... neuf ans.

 ## ET TOI ?

« Je ....

J'ai .... »

LES EXTRA-TERRESTRES

— **Je** m'appell**e** Cosmica,
  j'habit**e** le Cosmos,
  je march**e** et **je** vol**e**.

Je m'appell**e** Cosmico,
j'aim**e** la Terre,
je parl**e** français.

 ## DANS UN MAGASIN DE JOUETS

1. — Je .... Cosmica.

   ..... marche et ....

   ..... habite le Cosmos et toi ?

2. — .... Turbo.

   Je .... et ..... aime le Cosmos.

3. — Tu .... 110 ans, toi aussi ?

   — Non, ... ai 112 ans, moi !

④ LES ROBOTS DE LA GUERRE DES ÉTOILES

1. — ....
   ....
   ....

2. — ....
   ....
   ....

ON JOUE AU FANTÔME

— **Qui est-ce ?**
— **C'est Marc !** Oui, **c'est lui**.
— Non, **c'est Tuca**, je crois.
— **C'est** Tuca ? Tu es sûre, Julie ?
— Oui, **c'est elle !** Regarde !
— Ah oui, **c'est** Tuca.
— Coucou ! **C'est moi !**

⑤ REGARDE BIEN !

1. — Qui est-ce ?
   — .... Bruno.

2. — Qui est-ce ?
   — .... Cosmica.

3. — .... est-ce ?
   — .... Sonia.

4. — .... ?
   — .... Cosmico

5. — ....?
   — .... Julie.

6 « TOC-TOC » À LA PORTE

1. — ....?

— .... moi, Tuca.

— Ah ! Bonjour, Tuca.

2. — ....?

— C'est ...., Sonia.

— Ah ! Bonjour, Sonia ! Entre !

3. — ....?

— ...., Bruno.

— Salut, Bruno !

4. — ....?

— ....

— ....

7 JOUE AU FANTÔME AVEC TES AMIS

1. — Qui ....?

— ....

— Oui, ... lui.

3. — ....?

— ....

— ....

2. — Qui ....?

— ....

— Non.

— Alors,..................................

— Oui, ... elle.

4. — ....?

— ....

— Non.

— Alors, ...

— Oui, ...

JE SAIS

— **Qui est-ce** ?

— **C'est** Bruno.

— C'est **toi**, Marc ?

— Oui, c'est **moi**.

Sonia, c'est **elle**

et Julien, c'est **lui**.

À LA PORTE

— Bonjour, Sonia.

— Bonjour, Julien, entre.

— Regarde !

— **Qu'est-ce que c'est** ?

— **C'est un cadeau** pour toi.

— Oh ! Merci !

BRUNO SONNE CHEZ JULIEN : « DING DONG »

1. — Bonjour Julien.

— .... Bruno, entre !

— .... !

— Qu'est-ce que c'est ?

— .... un astronaute

2. — Regarde !

— .... ?

— .... un paquet, regarde !

— Oh ! .... cadeau pour moi !

Merci !

DEVINE !

1. — .... c'est ?

.... paquet ?

— Oui, ... paquet

pour toi.

— Merci.

2. — .... ?

— .... un disque.

— Oh ! .... disque pour moi !

Merci !

3. — ....?

— .... un bateau.

— C'est pour moi ?

— Oui, ...

4. — ....?

— .... un avion.

— C'est .... pour ...... ?

— Oui, ... pour ....

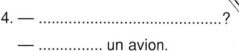

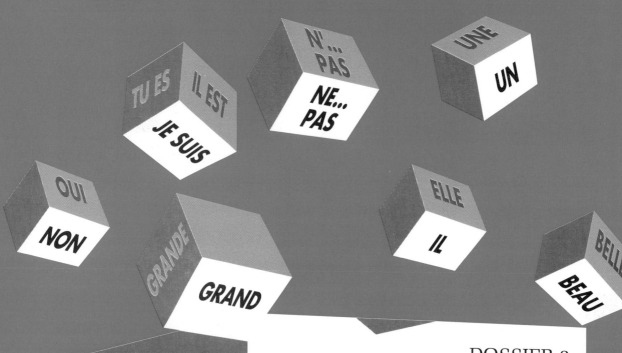

DOSSIER 2
JOURS DE VACANCES

UNE VISITE AU CIRQUE

— Regarde ! Qu'est-ce que c'est ?
c'est **un** tigre, ça ?
— Mais non ! C'est **un** lion !
il est beau, hein ?
— Oui, mais **il est méchant** !
— Mais non, regarde, **il est genti**l.

— Alors, ça, c'est **un** tigre, regarde !
— Mais non, c'est **une** panthère noire.
— **Elle est méchante**, tu crois ?
— Non, regarde ! **Elle est gentille**.
— Oh oui, **elle est drôle** !
C'est **une** panthère noire, comme dans Mowgli.
Elle est belle, hein ?

UNE PROMENADE AU ZOO

1. — Regarde ! .... girafe !

— Oui, ... est **belle**.

— .... méchant**e** ?

— Mais non ! .... est très gentil**le**.

2. — Oh ! .... chameau !

— .... est **beau**.

— .... gentil ?

— Pas toujours !

3. — Ici, c'est .... serpent.

—- Oui, c'est un python.
.... méchant.

— Oui, mais .... **beau**.

4. — Qu' ....?

— Ça, c'est .... autruche.

— .... **belle**.

2 UNE VISITE AU PLANETARIUM

1. — .... étoile ?

   — Non, c'est .... satellite.

   — ....brillant.

   — Oui, comme .... étoile.

2. — Regarde ! .... fusée.

   — .... très grande.

   — Oui et .... **belle**.

3. — Regarde, ici, c'est .... avion supersonique

   .... très grand.

   — .... super rapide.

4. — Ça, c'est .... vaisseau spatial.

   il .... magnifique.

   — .... brillant comme .... étoile.

5. — Regarde, c'est .... planète.

   .... brillante !

   — .... habitée, tu crois ?

   — Peut-être.

une étoile

un satellite

une fusée

un vaisseau spatial

un avion supersonique

une planète

JE SAIS

C'est **un** lion, **il** est **beau**, **il** est grand.
C'est **une** panthère noire, **elle** est grande, **elle** est **belle**.

♂	♀
Un lion.	**Une** panthère.
Il est grand	**Elle** est grande
méchant	méchante
gentil	gentille
beau	**belle**

SONIA EST EN VACANCES, BRUNO AUSSI.

Une interview à la plage

— **Tu es** en vacances, tu es contente ?
— Oui, **je suis** très contente.

— Et Bruno ? **il est** content, lui aussi ?
— Bien sûr ! **il est** en vacances comme moi,
   il nage et il joue. **On est** contents tous les deux.
— Alors, bonnes vacances, Sonia !

 3 UNE INTERVIEW À LA PLAGE

1. — Comment tu t'appelles ?
   — .... m'appelle Bruno.
2. — .... en vacances ?
   — Oui, ... en vacances.
3. — Et elle, comment elle s'appelle ?
   — .... s'appelle Sonia. .... nage et
   .... joue avec ses amis.
4. — Elle .... en vacances, alors?
   — Oui, ...
5. — Elle .... ?
   — Bien sûr ! Elle ...... très contente !

 4 REGARDE : IL/ELLE EST COMMENT ?

♂ et ♀
riche
pauvre
triste

♂	♀
content	content**e**
grand	grand**e**
méchant	méchant**e**
gentil	genti**lle**
beau	**belle**

....

♀	♂
1. moi, je suis content**e**	moi, je suis content
je suis grand**e**	je suis grand
toi, tu es **belle**	toi, tu es beau
moi, je suis gentil**le**	tu es gentil
toi, tu es méchant**e**	moi, je suis méchant
2. elle, elle est content**e**	lui, il est content
elle est **belle**	il est beau
elle est gentil**le**	il est gentil

Le verbe **être**

je **suis**

tu **es**

il/elle/on **est**

AU TÉLÉPHONE

— Allo ? C'est Julie ?

— Ah non ! Ce **n**'est **pas** Julie, c'est sa maman.

— Bonjour madame, Julie est là ?

— Ah non, je suis désolée, elle **n**'est **pas** à la maison,
elle **ne** rentre **pas** avant six heures.

— Merci madame, au revoir.

5 ALLO ? J'ÉCOUTE.

1. — Allo ? .... Sonia ?

— Ah non, ce n' .... Sonia, ... sa sœur.

— Sonia .... là ?

— Ah non, elle .... est .... à la maison.

2. — Allo ? .... Julien ?

— Ah non, ... Julien, il est sorti.

— Excusez-moi.

— Je vous en prie.

3. — Allo ? ....Tuca ?

— Oui, ... moi.

— Ici,............ Bruno.

— Bonjour Bruno.

4. — Allo ? .... Sophie ?

— Ah non, ..., c'est Julie.

— Bonjour Julie, ici, ... Tuca.

Sophie .... là ?

— Ah non, ... à la maison.

— Elle travaille ?

— Non, elle .... travaille .... , elle est en vacances.

 LE TÉLÉPHONE SONNE

1. ....? AH NON ! .... SA MAMAN.

2. ....? OUI ! ....

3. ....? AH NON ! ....

Non	Oui
C'est Tuca ?	C'est Tuca ?
Non, ce **n'est pas** Tuca.	**Oui**, c'est moi.
Tuca est là ?	Tu travailles ?
Non, elle **n'est pas** là.	**Oui**, je travaille.
Elle travaille ?	
Non, elle **ne** travaille **pas**.	

ILS SONT
IL EST

DES UNE
UN

ILS HABITENT
IL HABITE

ILS
LA
LE

CE SONT
C'EST

L'
LA
LE

DOSSIER 3
ASTRALE, LA PLANÈTE DES ASTRALIENS

ASTRALE, LA PLANÈTE DES ASTRALIENS

— Viens voir, j'ai une ville astralienne.

— Comme elle est petite !

— Ici, c'est l'école astralien**ne** avec **les** élève**s**.
   Là, c'est **le** marché astralien et **la** place avec **les** commerçant**s**.
   Et là, c'est **l'**hôpital astralien avec **les** malade**s**.

— Et ça, c'est **le** professeur ? Il est vieux !

— Voilà **la** pâtissièr**e** et **les** Astraliens-gourmand**s**.

— Regarde **le** médecin. Il est sérieux.

— C'est vrai, mais **l'**infirmièr**e**, elle n'est pas sérieu**se**,
   elle joue avec **les** enfant**s** dans **le** jardin.

LES ASTRALIENS !

1. Voilà .... poste astralien**ne**, ... est fermé**e**.

2. Ici, c'est .... banque astralien**ne**, ... grand**e**.

3. Regarde .... malade**s** astralien**s** à .... hôpital astralien !

4. .... professeur astralien est .... ami des enfants.

5. .... pâtissière astralien**ne** est petit**e**.

6. .... garage astralien est fermé.

7. .... médecin travaille mais .... infirmière astralien**ne**
   joue avec .... élève**s** dans .... jardin.

8. .... ville des Astraliens est sur .... planète Astrale.

9. Regarde .... voiture**s** astralien**nes** et .... avion**s** !

10. J'aime bien .... école astralien**ne** et .... hôpital astralien mais
    je n'aime pas ...... cinéma astralien, ... trop petit.

15

2 MARIE L'ASTRALIEN AVEC L'ASTRALIENNE !

Astralien ri**eur**	Astralienne ment**euse**
Astralien séri**eux**	Astralienne pharmac**ienne**
Astralien gourman**d**	Astralienne pâtissi**ère**
Astralien courag**eux**	Astralienne voyag**euse**
Astralien paress**eux**	Astralienne ri**euse**
Astralien travaill**eur**	Astralienne gourmand**e**
Astralien ment**eur**	Astralienne boulang**ère**
Astralien voyag**eur**	Astralienne séri**euse**
Astralien music**ien**	Astralienne music**ienne**
Astralien pharmac**ien**	Astralienne courag**euse**
Astralien pâtissi**er**	Astralienne travaill**euse**
Astralien boulang**er**	Astralienne paress**euse**

3 TROUVE MAINTENANT LE FÉMININ

1. le pharmacien et la ....
2. .... Canadien et ....
3. .... musicien et ....
4. .... boulanger et ....
5. .... gourmand et ....
6. .... paresseux et ....
7. .... travailleur et ....
8. .... voyageur et ....

<table>
<tr><th>♂</th><th>♀</th><th>1 + ...</th></tr>
<tr><td>ici, c'est **le** marché astralien.</td><td>Et là, c'est **la** pâtisserie astralie**nne**.</td><td>Voilà **les** élèves astralien**s**.</td></tr>
<tr><td>Voilà **l'**hôpital astralien.</td><td>Regarde **l'**infirmière astralie**nne**.</td><td>Regarde **les** pâtissières astralienne**s**.</td></tr>
</table>

JE SAIS

SUR LA PLANÈTE ASTRALE (fin)

— **Ils sont** vraiment petit**s**, **les** Astralien**s** !
— C'est normal ! Ce **sont des** astronaute**s** mais
ils sont transformé**s** en nain**s**.
Ils habit**ent** Astrale. **Ils sont** prisonnier**s**.
— Et là, dans le vaisseau spatial, c'est un Astralien ?
— Oui, mais c'est Méphisto. C'est l'ennemi des astronautes.
— **Il** habit**e** la planète Astrale aussi ?
— Oui. **Il** transform**e** les astronautes en nains.
— Alors **les** astronaute**s** n'aim**ent** pas Méphisto.
— Et Méphisto n'aim**e** pas les astronautes !

TU PEUX RÉPONDRE ?

1. Qui est Méphisto ?

....

2. Qui sont les Astraliens ?

....

3. Où habite Méphisto ?

....

4. Est-ce que les astronautes aiment Méphisto ?

....

5. Pourquoi ?

....

6. Où habitent les Astraliens ?

....

TU CONNAIS LES ASTRALIENS ?

1. C'est .... astral ....,
.... est sérieux.

2. ....astral ....,
.... n'est pas sérieuse.

.... joue avec .... enfants astral .....

dans .... jardin astral .....

3. .... et .... astral .....

.... travaill .... à ..... école.

4. .... et .... Astraliens-gourmands

.... aim .... beaucoup .... gâteaux.

.... Astraliens .... très gourmand ...

5. .... malades à ... hôpital.

.... malades .... triste .....

.... n'aim .... pas ...... médicaments.

6. .... commerçants sur .... marché

.... vend .... des gâteaux pour .... enfants astral ..

⑥ DÉCRIS LES HABITANTS D'UNE PLANÈTE EXTRAORDINAIRE

....

....

....

....

....

JE SAIS

♂	♀	1 + ...
C'est Méphisto	**C'est** Méphista	**ce sont** Mephisto et Mephista
c'est **un** Astralien	c'est **une** Astralienne	ce sont **des** Astraliens
il est méchant	**elle est** méchante	**ils sont** méchants
il habite Astrale.	**elle** n'aime pas	**ils** habitent Astrale.
	les astronautes.	

Le verbe **être**	Le verbe **avoir**	Le verbe **habiter**
je **suis**	j'**ai**	j'habit**e**
tu **es**	tu **as**	tu habit**es**
il/elle/on **est**	il/elle/on **a**	il/elle/on habit**e**
ils/elles **sont**	ils/elles **ont**	ils/elles habit**ent**

DOSSIER 4
TU AIMES
LE SPORT ?

INTERVIEW : « QUI AIME LE SPORT ? »

— **Est-ce que** tu aimes **la natation**, Sonia ?

— Non, je n'aime pas **ça**, **c'est** dangereux.

— Vraiment ? **La natation**, **c'est** dangereux ?

— Pas pour moi ! Moi, j'adore **la natation**, **c'est** super !

— Ah bon ! Tu aimes **ça**. Mais **est-ce que** tu aimes **le ski**, Julien ?

— Oui, j'aime bien **ça** mais je ne skie pas souvent.
Sonia, elle skie très bien. Elle adore **ça**, **le ski**.

— Ah bon ! Tu skies bien, Sonia ?

— Oui, j'aime beaucoup **le ski**, **c'est** passionnant.

— **Ce** n'est pas dangereux ?

— Non, **c'est** très intéressant. J'aime beaucoup **ça**.

LE SPORT, C'EST AMUSANT !

1. — .... tu aim .... le foot ?	le foot
— Non, je n'.......... pas	le tennis
— Pourquoi ?	le basket
— .... est trop violent !	la natation
2. — Tu .... tennis ?	la boxe
— Oui, j'	le patin à roulettes
— c' .... amusant !	la course
— .... tu jou ..... souvent ?	la danse
— je jou .... deux fois pas semaine.	le judo
3. — Tu .... boxe ?	la gymnastique
— Ah non ! Je	le bateau à voile
— Pourquoi ?	le jogging
— .... trop violent	la planche à voile
4. — .... tu aimes ..... judo ?	
— ...., ...	
.... intéressant.	

5. — Tu .... bateau à voile ?

— ....

— Pourquoi ?

— Parce que .... amusant.

PRÉPARE 6 QUESTIONS POUR UN JEUNE FRANÇAIS

1. .... ?   s'appeler

2. .... ?   avoir/être

3. .... ?   habiter

4. .... ?   aimer

5. .... ?   travailler

6. .... ?   parler

JE SAIS

Pour poser une question :	Pour répondre :
— Tu nages bien ? — **Est-ce que** tu nages bien ?	— oui/non
— Tu aimes le sport ? — **Est-ce que** tu aimes la boxe ?	— oui, j'aime le sport — non, je n'aime pas la boxe
— Tu aimes **la gymnastique** ? — **Est-ce que** tu aimes **le judo** ?	— oui, j'aime **ça** — non, je n'aime pas **ça**

La natation ? J'aime **ça**, **c'**est passionnan<u>t</u>

Le foot ? J'aime **ça**, **c'**est intéressan<u>t</u>.

La gymnastique ? Je n'aime pas **ça**, **ce** n'est pas amusan<u>t</u>

Le verbe **aimer**	Le verbe **travailler**
j'aim**e**	je travaill**e**
tu aim**es**	tu travaill**es**
il/elle/on aim**e**	il/elle/on travaill**e**
ils/elles aim**ent**	ils/elles travaill**ent**

AU À LA
AUX

NE REGARDE PAS !
REGARDE !
TU REGARDES

À L' À LA
AU

DOSSIER 5
UN PETIT ACCIDENT DE VÉLO

UN BEAU VÉLO

— Salut !

— Tu as un vélo ?

— Oui, il est beau, hein ?

— Il est super. Où tu **vas** ?

— Je **vais à la** piscine.

— Moi aussi. Et après je **vais au** tennis.

— Alors, **monte derrière** moi !

— D'accord, mais **regarde devant** toi ! Et **ne roule pas** trop vite !

— Tu as peur ?

— Non, je n'ai pas peur mais **freine**, il y a une voiture **devant** !

LE « PETIT CURIEUX »

1. — Où tu vas ?

   — Je .... piscine.

2. — ……............ vas ?

   — Je .... maison.

3. — Où .... ?

   — Je ....

4. — ....?

   — ....

5. — ....?

   — .... gymnase.

6. — ....?

   — .... hôpital.

7. — .... ?

   — ....

8. — .... ?

   — ....

la piscine ⟶	**à la** piscine
le garage ⟶	**au** garage
la maison ⟶	**à la** maison
le tennis ⟶	**au** tennis
l'école ⟶	**à l'**école
la plage ⟶	**à la** plage
le cinéma ⟶	**au** cinéma
la campagne ⟶	**à la** campagne
l'hôpital ⟶	**à l'**hôpital
le lycée ⟶	**au** lycée
le gymnase ⟶	**au** gymnase
les courses ⟶	**aux** courses

JULIEN VA CHEZ BRUNO

1. — Qui est-ce ?

— C'est Julien !

— .... ! .... à la porte !   entrer
                                                             rester

2. — .... ! C'est mon nouveau disque de Rock.   regarder

— Il est bien ?

— .... !   écouter

3. — J'ai des photos de vacances.

— Elles sont comment ?

— .... !   regarder

— Elles sont belles.

4. — ....! C'est mon nouveau vélo.   regarder

— Il est beau !

— .... derrière moi.   monter

— D'accord mais .... trop vite !   rouler

Ah ! J'ai peur !

— .... ! Je roule lentement.   crier

---

la piscine ⟶	je vais **à la** piscine
l'é̱cole ⟶	tu vas **à l'**é̱cole
le tennis ⟶	elle va **au** tennis
l'ḫôpital ⟶	je vais **à l'**ḫôpital
les courses ⟶	on va **aux** courses

Pour les verbes en **er**

regard**er** ⟶ tu regard**es** ⟶ regard**e** !
                                  ne regard**e** pas !

mont**er** ⟶ tu mont**es** ⟶ mont**e** !
                              ne mont**e** pas !

UN PETIT ACCIDENT

— **Fais** attention ! Ne **va** pas trop vite !
  Ralentis !
— **Ne t'inquiète pas** !
— Hé ! Ne tourne pas **à gauche** !
  tourne **à droite** : la piscine est **à droite** !
  Brrr, j'ai peur !
— **Tais-toi**, enfin !

Bing bang boum !
— Ne pleure pas. **Lève-toi** !
— Mais je ne pleure pas. Tu as mal toi ?
— Non, mais j'ai peur. Ce n'est pas mon vélo.
  C'est le vélo de mon grand frère. **Attends-moi ici** !
  je vais au garage **là-bas** : tu m'attends ?
— Ah non ! Merci ! Au revoir et bonne chance !

❸ IL NE CONNAIT PAS LA VILLE !

1. — Où est la piscine ? | ici / là / là-bas

   — Elle .... | devant toi / derrière toi

2. — Où .... cinéma Rex ? | à droite / à gauche

   — Il .... | en haut / en bas

3. — .... la rue de Rome ?

   — ....

4. — .... tennis ?

   — ....

5. — .... garage le plus proche ?

   — ....

6. — ....

   — ....

4 LE JEU DE « COLIN-MAILLARD »

Donne des conseils à ton ami(e)

1. .... tout droit devant toi.   marcher

2. .... ! Il y a une table !   arrêter

3. .... à droite.   tourner

4. .... ! Il y a une chaise.   faire attention

5. .... tout droit devant toi.   continuer

6. Et maintenant, ... à gauche.   aller

7. .... ! Il y a une table !   faire attention

8. Bravo ! Tu as gagné ! .... ton foulard.   retirer

5 TU ENTENDS SOUVENT CES ORDRES. RETROUVE QUI PARLE !

| Tais-toi ! | Ne t'inquiète pas ! | Lève-toi ! | Couche-toi ! |
| Attends-moi ! | Mange ta soupe ! | Travaille ! | Ne pleure pas ! |

1. Quand tu parles trop, on te dit : « .... »

2. Quand tu pleures, on te dit : « .... »

3. Quand tu tombes de vélo, on te dit : « .... »

4. Quand tu marches trop vite, on te dit : « .... »

5. Quand tu as peur, on te dit : « .... »

6. Quand tu ne travailles pas, on te dit : « .... »

7. Quand tu ne manges pas ta soupe, on te dit : « .... »

8. Quand tu es fatigué(e), on te dit : « .... »

6 REMPLIS LES BULLES AVEC DES ORDRES

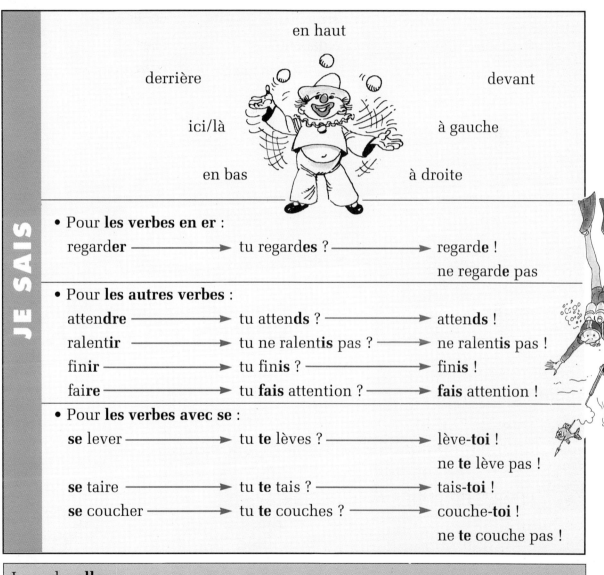

en haut

derrière   devant

ici/là   à gauche

en bas   à droite

- Pour **les verbes en er** :

regard**er** ⟶ tu regard**es** ? ⟶ regard**e** !

ne regard**e** pas

- Pour **les autres verbes** :

atten**dre** ⟶ tu atten**ds** ? ⟶ atten**ds** !

ralent**ir** ⟶ tu ne ralent**is** pas ? ⟶ ne ralent**is** pas !

fin**ir** ⟶ tu fin**is** ? ⟶ fin**is** !

fai**re** ⟶ tu **fais** attention ? ⟶ **fais** attention !

- Pour **les verbes avec se** :

se lever ⟶ tu **te** lèves ? ⟶ lève-**toi** !

ne **te** lève pas !

se taire ⟶ tu **te** tais ? ⟶ tais-**toi** !

se coucher ⟶ tu **te** couches ? ⟶ couche-**toi** !

ne **te** couche pas !

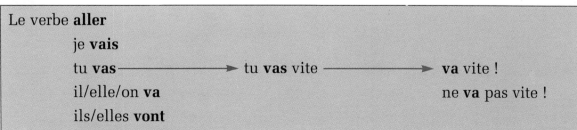

Le verbe **aller**

je **vais**

tu **vas** ⟶ tu **vas** vite ⟶ **va** vite !

il/elle/on **va**   ne **va** pas vite !

ils/elles **vont**

DOSSIER 6
APRÈS L'ÉCOLE

APRÈS L'ÉCOLE

— Ce soir, je vais chez **ma** tante.

— Qu'est-ce qu'elle fait, **ta** tante ?

— Elle est secrétaire, je crois.

— Tu vas chez elle avec **tes** parents ?

— Non, avec **mon** amie Mona et **mon** ami Pierre. **Mes** parents travaillent, **ma** mère est hôtesse de l'air et **mon** père, il est pilote.

— **Ton** père est pilote ?

— Oui, et toi, qu'est-ce qu'il fait, **ton** père ?

— Il est commerçant et **ma** mère ne travaille pas.

— Elle ne travaille pas, **ta** mère ?

— Non, elle reste à la maison avec **mes** petite**s** sœurs.

— Alors, elle travaille !

 ## UNE VISITE CHEZ JULIEN

1. — Je te présente .... frère, ... est étudiant.

Je te présente .... sœur, ... est étudiant**e** aussi.

Je te présente .... copain**s**, ... italien**s**.

Je te présente .... tante, ... est infirmièr**e**.

2. — Ici, c'est .... chambre, ... est grand**e**, hein ?

Et ça, c'est ...... nouvel**le** chaîne stéréo .... est très puissant**e**.

Ecoute .... disque**s**, ... très bon**s**.

3. — Et ça, qu'est-ce que c'est ?

— Ce sont .... Astralien**s**, ... amusant**s**, hein ?

.... Astralien favori s'appelle Méphisto. .... Astralienne favori**te** s'appelle Méphista.

4. — Tu veux voir .... nouvelle**s** photo**s** ?

— .... très joli**es** !

5. — Mais où est .... vélo ?

— Il est dans le jardin.

6. — Tu me prêtes .... Astralien**s** ?

— Ah non ! .... Astralien**s** sont trop fragile**s**.

PARLE-MOI DE TA FAMILLE !

1. — .... père .... pilote ?

— Non, ... journaliste.

2. — .... étudiant**e** ?

— Non, ... infirmière.

3. — .... frère**s** .... étudiant**s** ?

— Non, ... informaticien**s**.

4. — .... interprète ?

— Non, ... avocat**e**.

5. — .... grand**s**-parent**s** .... commerçant**s** ?

— Non, ... ouvrier**s**.

6. — .... reste à la maison ?

— Non, ... travaille à la banque.

Professions
⚲ ➤ et ♀
médecin
ingénieur
journaliste
écrivain
professeur
peintre
artiste
pilote
vétérinaire

⚲ ➤	♀
commerçant	commerçant**e**
étudiant	étudiant**e**
avocat	avocat**e**
ouvrier	ouvri**ère**
employé	employé**e**
infirmier	infirm**ière**
chanteur	chanteu**se**
comédien	comédie**nne**
acteur	**actrice**

PRÉSENTE TA FAMILLE À LA CLASSE

1. .... grand-père, ... est ....

.... grand-mère, ...

2. .... père, ...

.... mère, ...

3. .... frères ....

.... sœurs

4. .... oncles

.... tantes

5. .... cousins

.... cousines

4 POSE QUELQUES QUESTIONS À TON VOISIN

1. — Quelle est .... équipe de foot favorite ?

2. — Quel est .... sport favori ?

3. — Quels sont .... desserts favoris ?

4. — Quelle est .... actrice favorite ?

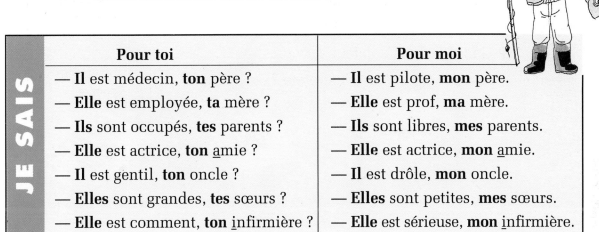

JE SAIS

Pour toi	Pour moi
— **Il** est médecin, **ton** père ?	— **Il** est pilote, **mon** père.
— **Elle** est employée, **ta** mère ?	— **Elle** est prof, **ma** mère.
— **Ils** sont occupés, **tes** parents ?	— **Ils** sont libres, **mes** parents.
— **Elle** est actrice, **ton** amie ?	— **Elle** est actrice, **mon** amie.
— **Il** est gentil, **ton** oncle ?	— **Il** est drôle, **mon** oncle.
— **Elles** sont grandes, **tes** sœurs ?	— **Elles** sont petites, **mes** sœurs.
— **Elle** est comment, **ton** infirmière ?	— **Elle** est sérieuse, **mon** infirmière.

Le verbe **faire**

je **fais**

tu **fais**

il/elle/on **fait**

ils/elles **font**

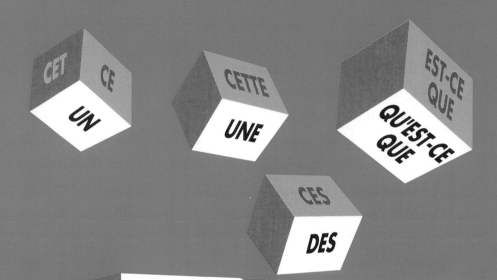

CET
CE
UN
CETTE
UNE
EST-CE
QUE
QU'EST-CE
QUE
CES
DES

DOSSIER 7

UNE PROMENADE
À LA CAMPAGNE

UNE PROMENADE TRÈS RAPIDE !

— **Qu'est-ce que** tu fais, aujourd'hui ?

— Je vais à la campagne, **est-ce que** tu es libre ?

— Oui.

— Alors, viens avec moi.

— **Qu'est-ce que** je prends ?

— Prends un panier. On va chercher des champignons.

— Eh ! Regarde **ces** champignons roses, ils sont beaux, hein ?

— Fais attention ! **Ces** champignons sont mauvais, ils sont dangereux.

— Et **ce** grand champignon là, **est-ce qu'**il est bon ?

— Montre ! Oui, il est bon.

— Sonia ! **Qu'est-ce que** tu cherches là ?

— Je ne cherche rien, je regarde **cette** branche morte, elle est bizarre !

— Attention ! Tu es folle ! Ce n'est pas une branche morte ! Ça bouge. C'est un gros serpent. Viens vite, cours !

— Au secours ! Un serpent ! Je n'aime pas **cet** <u>e</u>ndroit. Il est trop dangereux ! Je préfère rentrer chez moi !

— Moi aussi ! Je préfère la ville !

1 LA CAMPAGNE, C'EST BEAU !

1. — Regarde .... beaux arbres, **ils** sont grands.
   — Et là, ... fruits, **ils** sont mûrs ?
   — Non, ils sont encore verts, ils ne sont pas bons.

2. — Attention ! Ne touche pas à .... champignon, **il** est dangereux.

3. — Regarde .... fleur, **elle** est toute petite.
  — Oui, c'est .... violette.
  — Et .... feuille, qu'est-ce que c'est ?
  — C'est .... feuille morte, **elle** est jaune.

4. — Viens, on va monter dans .... <u>a</u>rbre. C'est .... sapin.
  — Ah non ! **Il** est trop haut pour moi.

5. — Eh ! Fais attention ! Ne monte pas sur ....branche.
  — Pourquoi ?
  — Tu ne vois pas ? **elle** est morte, elle va casser.

6. — Ne va pas là-bas, ... endroit est dangereux, il y a .... serpents.

7. — C'est dommage, ... rivière est pollu**é**e.
  — C'est à cause de .... usine de produits chimiques, **elle** pollue tout. Tu vois, ... poissons sont morts.
  — C'est bien triste toute .... pollution.

 LE JEU DU JOURNALISTE : IL POSE TOUJOURS DES QUESTIONS !

1. — Allo, Bruno ?................... tu travailles, aujourd'hui ?

  — **Oui**, je travaille dans mon garage.

2. — .... tu fais ?

— Je répare mon vélo.

3. — .... il a, ton vélo ?

— Il ne marche plus. Les freins sont cassés

et les pneus sont crevés.

4. — .... tu répares ton vélo tout seul ?

— **Non**, ma sœur m'aide un peu.

5. — ………………… elle fait ?

— Elle me passe les outils.

6. — .... tu utilises comme outils ?

— J'utilise des clés pour démonter et remonter les roues

et puis des rustines et de la colle pour les pneus.

7. — .... tu es un bon mécanicien ?

— **Oui**. Mais dis-moi, ... tu fais, toi ?

— Je joue au journaliste : je dois tout savoir sur mes amis !

8. — .... tu joues tout seul ?

— **Non**, je joue avec Tuca et Marc.

On fait un concours de journalisme.

DEVANT UN MAGASIN DE SPORT

1. — Tu aimes bien ....vélo ? **Il** a 12 vitesses.

— Oui, il n'est pas mal mais je préfère .... mobylette,

elle va plus vite.

2. — Et .... peti**te** moto Honda, **elle** fait du combien ?

Elle fait du 80 à l'heure.

3. — Tu as vu........ patin**s** à roulettes ?

— **Ils** ont l'air solides ! Mais je préfère .... voiture**s** téléguidée**s**,

elles sont plus amusantes !

4. — Bof, les voitures téléguidées, c'est pour les enfants !

Moi, je voudrais bien acheter .... mobylette mais

je n'ai pas assez d'argent.

4

Lequel tu préfères ?
Celui-ci ou celui-là ?
et pourquoi ?

①

....

parce que ....

③

....

....

Laquelle tu préfères ?
Celle-ci ou celle-là ?
et pourquoi ?

②

....

parce que ....

④

....

....

5 DÉCIDÉMENT, IL NE CONNAIT RIEN !

1. — Qui est .... acteur ?

— C'est Clark Goble.

2. — Et .... actrice, qui est-ce ?

— C'est Greta Marbo.

3. — Tu as vu .... film ?

— Lequel ?

— « Le grand bleu. »

— C'est le plus beau film de l'année !

4. — Oh, dis donc ! Elle est bien, ... affiche.

— Laquelle ?

— Celle-là.

5. — Tu connais .... chanteuse ?

— Tout le monde la connaît ! C'est Modana.

— Regarde, il y a **des** champignons.

— Attention ! **Ces** champignons, ils sont mauvais.

— Il y a **un** grand champignon, ici.

— Montre-moi **ce** champignon. Il est bon.

— Regarde, il y a **une** feuille verte.

— **Cette** feuille n'est pas verte, elle est marron !

— Oh ! Il y a **un** grand <u>a</u>rbre, là.

— Ne monte pas dans **cet** <u>a</u>rbre, il est mort.

Pour poser une question

Pour répondre

— **Qu'est-ce que** tu fais ?

— Je regarde ce serpent.

— **Est-ce qu'**il est dangereux ?

— Oui/non

Le verbe **venir**	Le verbe **prendre**
Je vien**s**	Je pren**ds**
tu vien**s**	tu pren**ds**
il/elle/on vien**t**	il/elle/on pren**d**
ils/elles vien**nent**	ils/elles pren**nent**

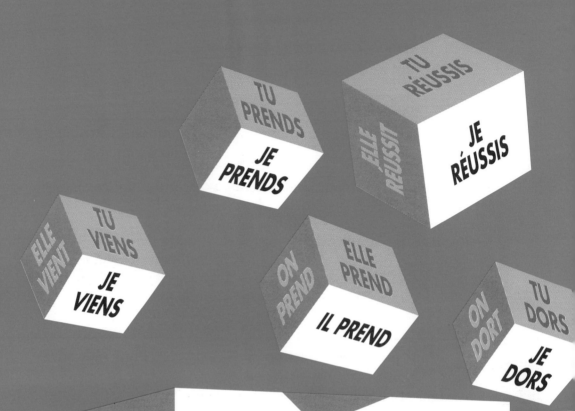

TU PRENDS

JE PRENDS

TU RÉUSSIS

ELLE RÉUSSIT

JE RÉUSSIS

ELLE VIENT

TU VIENS

JE VIENS

ON PREND

ELLE PREND

IL PREND

ON DORT

TU DORS

JE DORS

DOSSIER 8

UNE VISITE AU RANCH DE MARC

JE PARS AU RANCH À VÉLO

— Qu'est-ce que tu fai**s** ? Tu li**s** ? Tu dor**s** ?

— Non, je ne dor**s** pas, je réfléchi**s**. Et toi, où est-ce que tu va**s** ?

— Je par**s** au ranch à vélo. Tu connai**s** mon ranch ?

— Non. Mais je sai**s** que tu **as** un ranch.

— Eh bien, tu vien**s** avec moi, je t'invit**e**.

— D'accord, je prend**s** mes bottes et j'arriv**e** !

— Oui, et tu met**s** aussi un blouson !

— Ah oui, je compren**ds**, il fait froid, là-bas !

— Et Sonia, elle ne vien**t** pas avec nous ?

— Si, mais elle écri**t** une lettre.

— A qui ?

— Tu **es** curieux, hein ! Elle fini**t** tout de suite et elle descen**d**.

— Tu croi**s** ? Je n'aim**e** pas attendre, moi.

— Elle vien**t** tout de suite, je te di**s** ! Elle fini**t** sa lettre.

 ## EN ROUTE

1. — Sonia ! Tu .... avec nous, oui ou non ?   venir

  — Attends ! Je .... ma lettre et je ....   finir/descendre

2. — Mais, qu'est-ce que tu ....? Tu .... ?   faire/dormir

  — Non, je ne .... pas, je .... mon vélo   dormir/sortir

     du garage.

3. — Et maintenant ?

  — Tu ne .... pas ? Je .... mes bottes !   voir/mettre

4. — Tu ne .... pas ton blouson ?   prendre

  — Pourquoi ? Tu .... qu'il fait froid au ranch ?   croire

  — Je .... qu'il fait froid !   savoir

  — Ne crie pas ! je ....!   comprendre

     Allez, on ....!   partir

  — Enfin ! J'............... depuis une heure.   attendre

  — En route !

AU RANCH DE MARC

1. — Tu .... c'est mon cheval,	voir
il ....Tom. Regarde, il me	s'appeler/reconnaître
2. — Il .... vite, ton cheval ?	courir
Il ne .... plus, il est trop vieux.	courir
3. — Alors, qu'est-ce qu'il ....?	faire
— Il ...., il .... et il	dormir/boire/manger
4. — Pourquoi est-ce qu'il ....?	partir
Il .... peur ?	avoir peur
— Non, il n'........ pas peur, il .... boire de l'eau.	avoir peur/aller
5. — Il .... toujours tout seul ?	être
— Non, il a une amie, Djinn. Elle .... ici en été.	venir
Mon père .... Djinn en pension.	prendre
6. — Et en hiver, où est-ce qu'elle ...., Djinn ?	vivre
— Je ne .... pas. Elle .... à courir,	savoir/apprendre
je .... C'est un cheval de course.	croire
Elle .... avec un entraîneur.	travailler

LA JOURNÉE D'UN JEUNE FRANÇAIS

1. — Qu'est-ce que tu .... d'habitude ?	faire
— Je .... à l'école, évidemment !	aller
2. — Mais à quelle heure tu ....?	se lever
— Je .... à 7 heures et puis	se lever
je .... et je	se laver/déjeuner
Je .... à l'école à 8 heures.	partir
3. — qu'est-ce que tu .... comme petit déjeuner ?	prendre
— Je .... du chocolat au lait, et du pain	prendre
avec du beurre ou de la confiture.	
4. — Qu'est-ce que tu .... comme vêtements ?	mettre
— Généralement, je .... un jean et un polo,	porter
je .... des baskets et un blouson.	mettre

5. — Et à l'école, qu'est-ce que tu ....?   faire

     — J'............., je ...., j'...............

        étudier / lire / écrire

       J' .... les langues étrangères,   apprendre

       l'histoire, la géographie, etc.

6. — Tu .... bien les mathématiques ?   comprendre

     — Oui, et j' .... bien ça.   aimer

7. — Tu .... un sport ?   pratiquer

     — Je .... et je ....   courir / nager

8. — Et comme distractions ?

     — Je .... la télé, je .... au cinéma,   regarder / aller

     Je .... avec mes copains.   sortir

9. — Tu .... beaucoup ?   dormir

     — je .... 8 heures, environ.   dormir

10.— Quelle est ta boisson préférée ?

     — Je .... de l'eau ou des sodas.   boire

④ RACONTE TA JOURNÉE !

     — Qu'est-ce que tu fais d'habitude ?

     — Je...

     ....

     ....

⑤ RACONTE LA JOURNÉE DE TON HÉROS DE BANDE DESSINÉE

     — Qu'est-ce qu'il/elle fait ?

     — Il/elle ....

     ....

     ....

     ....

     ....

     ....

• <u>Dictionnaire</u> : ....**er**

aimer ⟶ j'aim**e** le sport
jouer ⟶ tu jou**es** avec moi ?
travailler ⟶ il/elle travaill**e**
voyager ⟶ on voyag**e**

• <u>Dictionnaire</u> : ....**dre**

comprendre ⟶ je compren**ds**
              tu compren**ds** ?
prendre ⟶ il/elle pren**d** le train
apprendre ⟶ on appren**d** le français

• <u>Dictionnaire</u> : ....**re**

faire ⟶ je fai**s** du sport
boire ⟶ tu boi**s** du soda ?
croire ⟶ il/elle croi**t**
se taire ⟶ on se tai**t**
écrire ⟶ j'écri**s**
lire ⟶ tu li**s** ?
conduire ⟶ il condui**t**
dire ⟶ on di**t** merci

• <u>Dictionnaire</u> : .... **ir**

finir ⟶ je fin**is**
réfléchir ⟶ tu réfléch**is**
choisir ⟶ il/elle chois**it**
réussir ⟶ on réuss**it**

<u>Attention !</u>

1. partir → **par** → je par**s**
   sortir → **sor** → tu sor**s** ?
   sentir → **sen** → tu sen**s**
   dormir → **dor** → il dor**t** ?
   Mettre → **met** → je met**s** un pull
                 il met un blouson
   vivre → **vi** → tu vi**s** à Paris ?
   suivre → **sui** → elle sui**t**

2. Venir / je **viens**
   revenir / tu re**viens** ?
   devenir / il de**vien**t grand !
   tenir / tu **tiens** mon vélo ?
   se souvenir / on se sou**vient**

3. savoir ⟶ je **sais**
               tu **sais** ?
               il/elle **sait**
               on **sait**

DOSSIER 9

ONCLE TROD'SOUS ET SES 3 NEVEUX

ONCLE TROD'SOUS ET SES TROIS NEVEUX

LE « POÈME » D'ONCLE TROD'SOUS

1. « Pendant la journée, il y a .... enfants dans le jardin.

   Il y a .... employés dans les bureaux.

   Il y a .... élèves à l'école.

   Il y a .... bruit dans la ville.

   Il y a .... circulation dans la rue.

   Il y a ...... nuages, ... soleil ou .... pluie.

   Quand il y a ....pluie, je fabrique .... argent.

   Quand il y a ...... soleil, je fabrique .... or.

2. Pendant la nuit, il n'y a ....enfants dans le jardin.

   Il n'y a .... dans les bureaux.

   Il ....à l'école.

   Il .... dans la ville.

   Il .... dans les rues.

   Mais il y a .... étoiles dans le ciel.

   Et les étoiles, pour moi, c'est .... or. »

QUEL TEMPS FAIT-IL ?

Ce matin, il y a ....
....
il fait gris.

Maintenant, ...
....
il fait beau.

Regarde le ciel, ...
....
la nuit est claire :
...........................nuages.

Aujourd'hui, ...
vent, ... soleil,
il ne fait pas beau.

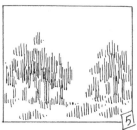

Ce soir, ...
brume. On ne voit plus
rien.

En ce moment, il y a....
....
....

46

DANS UN DRÔLE DE MAGASIN

1. En général, on trouve: **les** crayons, **le** papier, **la** colle,

dans une papeterie.

— Pardon Monsieur, vous avez **des** crayons ?

— Ah non je n'ai .... crayons

— Vous vendez .... papier ?

— Ah non, je ne ....

— On voudrait .... colle, vous avez .... colle ?

— Ah non, ...

2.— Nous voulons......timbres, vous vendez .... timbres ?

— Ah non, mes enfants, je ....

— Vous avez .... enveloppe, peut-être ?

— Non,...

3.— Mais alors ? Qu'est-ce que vous vendez ?

— Ici, nous vendons .... rêve**s**, ...idée**s**.

Nous vendons aussi .... imagination,

.... patience et .... courage.

Vous en voulez ?

— Non merci, monsieur ! **La** patience, **le** courage, **les** rêves,

l'imagination et **les** idées, c'est gratuit !

— Vous croyez ?

④ QU'EST-CE QU'IL Y A DANS TON FRIGIDAIRE AUJOURD'HUI ?

En général, **le** beurre, **les** œufs, **la** confiture, **le** lait sont dans le frigidaire.

Vous avez **du** beurre dans votre frigidaire ?

1.— Il y a ....beurre,........ œufs.

2.— Il y a aussi ....fromage et......... confiture.

3.— ....chocolat et........... glace.

4.— ....viande froid**e** et ....légume**s**.

5. — Mais il n'y a .... lait.

6. — Il ...... y a .... gâteaux.

⑤ QU'EST-CE QUE TU VOUDRAIS AVOIR DANS TON FRIGIDAIRE ?

Je voudrais avoir ....

....

....

....

....

6 QU'EST-CE QUE TU METS DANS LA CHAMBRE DE TES RÊVES ?

....

....

....

....

....

....

7 QUELLES QUESTIONS !

Qu'est-ce qu'il y a dans :

Une tasse de café ?...

Un verre de lait ?..

Un verre d'eau ?...

Un sac de bonbons ?..

Un sac d'école?..

....

....

Un album de photos ?...

Un pot de fleurs ?...

Un pot de confiture ?..

	Je ne peux pas compter ces quantités	Je peux compter ces quantités	Les quantités à la forme négative
JE SAIS	J'ai **du** chocolat	J'ai **un** bonbon	Je **n'**ai **pas de** bonbon
	J'ai **de la** farine	Tu as **une** pomme	**pas de** pomme
	Il y a **de l'**eau	Il y a **des** enfants	Il **n'**y a **pas d'**enfants
	Tu fais **du** bruit	Tu manges **des** pommes ?	Tu **ne** fais **pas de** bruit
	Il a **de la** chance	je veux **des** bonbons	Il **n'**a **pas de** chance

49

ILS RÉUSSISSENT

IL RÉUSSIT

ILS ARRIVENT

IL ARRIVE

ILS FONT

ELLE FAIT

ELLES DORMENT

IL DORT

ILS VIENNENT

IL VIENT

ELLES RÉPONDENT

IL RÉPOND

DOSSIER 10

SOPHIE A RENCONTRÉ DES EXTRA-TERRESTRES

OVNI, L'ÉMISSION RADIO DE THOMAS.

Aujourd'hui, il s'entretient avec Sophie.
Elle connaît des extra-terrestres, elle les comprend et
elle communique avec eux !

Sophie : Ils s'appellent les « Hungawas », ils **sont** quatre.
Ils vien**nent** me voir une fois par mois.
Ils descend**ent** du ciel vers 9 heures et puis,
quand il **fait** nuit, ils sort**ent** de leur vaisseau spatial
et ils m'attend**ent**.

Thomas : ils **sont** comment, tes Hungawas ?

Sophie : Ils **sont** un peu comme E.T. mais ils **ont** trois yeux :
un rouge, un vert et un bleu clignotant. Ils voi**ent**
très bien la nuit. Ils **peuvent** changer de couleur
quand ils **veulent**. Quelquefois, ils pren**nent**
une couleur dorée, brillante comme une étoile.
Quelquefois, ils devien**nent** tout noirs comme la nuit.

1 LES QUESTIONS DES AUDITEURS

1. Comment .... les extra-terrestres de Sophie ? | s'appeler
   Le nom me semble japonais ?

2. Les Hungawas .... une fois par mois, mais quel jour ? | venir
   Un jour fixe ?

3. Sophie dit : « Ils .... du ciel vers 9 heures » | descendre
   Elle devrait dire : « Le vaisseau spatial .... | descendre
   sur terre vers 9 heures ! »

4. Comment est-ce que Sophie .... que les Hungawas | savoir
   ....? | attendre

5. Pourquoi les Hungawas .... du vaisseau spatial | sortir
   uniquement quand il .... nuit ? | faire

6. Les Hungawas .... changer de couleur. Quand ils | pouvoir
   .... dorés ou brillants, qu'est-ce que ça veut dire ? | devenir

OVNI, L'ÉMISSION-RADIO DE THOMAS (suite)

Sophie : Les Hungawas vien**nent** à quatre. Ils **ont** un chef.
Le chef **peut** changer de forme :
il dev**ient** grand quand il **veut**.
Il pren**d** la forme d'une fusée ou la forme d'un robot.
Quelquefois, il dev**ient** tout rond comme un ballon.

Thomas : C'est bien vrai ça ?

Sophie : Oui, c'est la vérité.

Thomas : Et les Hungawas, ils parl**ent** français avec toi ?

Sophie : Oui, ils connai**ssent** bien le français mais
ils **font** des fautes quelquefois.
Ils di**sent,** par exemple, « Sophie ! Tu venons, Hungawa ? »
Oui, parce qu'ils fini**ssent** toutes les phrases avec le mot
« Hungawa ». Et puis, ils confond**ent** parfois les mots.
Par exemple, « mal » devient « lam » pour eux.

Thomas : Qu'est-ce qu'ils **font** sur terre ?

Sophie : Ils pren**nent** des photos, ils regard**ent** tout
et ils choisi**ssent** des copains humains.

LES QUESTIONS DES AUDITEURS

2

1. Est-ce que les Hungawas .... d'autres langues	parler
ou est-ce qu'ils ne ....que le français.	connaître
2. Les Hungawas .... des fautes de français, pourquoi ?	faire
3. Est-ce que les Hungawas .... Sophie?	comprendre
4. Pourquoi les Hungawas ...."lam" pour dire « mal » ?	dire
5. Pourquoi les Hungawas .... des photos ?	prendre
6. Est-ce que les Hungawas ....d'autres copains	choisir
que Sophie ?	

OVNI, L'ÉMISSION-RADIO DE THOMAS (Fin)

Thomas : Quand les Hungawas sort**ent** du vaisseau spatial, qu'est-ce qu'ils mett**ent** comme vêtements ?

Sophie : Ils port**ent** toujours une combinaison comme celle des astronautes.

Thomas : Comment vi**vent** les Hungawas ?

Sophie : Ils voyag**ent** beaucoup. Ils visit**ent** toutes les planètes. Mais sur la planète Hungawa, ils ne **font** rien.

Thomas : Ils ne travaill**ent** pas ?

Sophie : Non, ils ne construis**ent** même pas de maison. Ils dor**ment** beaucoup.

Thomas : Ils ne **vont** pas à l'école ?

Sophie : Ils **savent** tout. Ils appren**nent** en dormant.

Thomas : Ils li**sent** et écri**vent** comme nous ?

Sophie : Non, le chef li**t** et écri**t** comme nous mais les autres n'aim**ent** pas lire et ils n'écri**vent** pas.

Thomas : Qu'est-ce qu'ils boi**vent**, qu'est-ce qu'ils man**gent** ?

Sophie : Ils pren**nent** un repas par jour et ils boi**vent** un liquide bleu très sucré : c'est une potion magique.

3 LES QUESTIONS DES AUDITEURS

1 — Les Hungawas ne .... pas de maison.	construire
Alors, où est-ce qu'ils .... ?	dormir
Sophie : Ils .... un grand voile sur eux,	mettre
ce voile .... solide comme un œuf	devenir
pendant la nuit et ils .... bien chaud.	avoir
Le matin, ils .... le voile dans la poche	mettre
de leur combinaison.	
2.— Les Hungawas ne .... pas à l'école	aller
mais ils .... tout. Ils .... et	savoir/dormir/
ils .... tout ! Comment est-ce possible ?	apprendre
Sophie : Ils .... très intelligents !	être

Mais ils .... une potion magique et	boire
cette potion .... toutes les informations	transmettre
de l'univers.	
3.— Si les Hungawas ....une potion magique,	prendre
je comprends pourquoi ils ne .... pas.	lire
Mais pourquoi est-ce qu'ils n'.................. pas ?	écrire
Sophie : le chef .... et .... pour communiquer	lire / écrire
avec les humains seulement. Généralement,	
les Hungawas .... les écoles inutiles.	trouver
4.— Le vaisseau spatial ....du ciel une fois par mois	descendre
mais qui le .... : le chef ?	conduire
Sophie : non, le chef ne .... pas. Mais il	conduire
.... un Hungawa qui devient responsable	choisir
du vaisseau spatial.	
5.— Est-ce que Sophie ....une fois par mois de la	boire
potion magique ?	
Thomas : elle ne........... pas répondre à cette question.	vouloir

④ QU'EST-CE QU'ILS FONT ?

L'écrivain :
Il ....

Les coureurs :
Ils.......................

Le nageur :
....

Les chanteurs :
....

Les voyageurs :
....

La danseuse :
....

Les travailleurs :

....

Les vendeuses :

....

Les serveuses :

....

Les lecteurs :

....

Les conducteurs :

....

Le peintre :

....

④ RACONTE LA VIE QUOTIDIENNE DE TES HÉROS FAVORIS
(TÉLÉ OU B.D.)

....

....

....

....

....

JE SAIS

• <u>Dictionnaire</u> : **er** → **e/ent**

jouer :   il joue
           Ils jouent
arriver : il arrive
           ils arrivent

....

• <u>Dictionnaire</u> : **ir** → **it/issent**

finir :   il finit
           ils finissent
choisir : il choisit
           ils choisissent
grandir : il grandit
           ils grandissent

....

• <u>Dictionnaire</u> : **dre** → **d/dent**

répondre : il répond
           ils répondent
vendre :   il vend
           ils vendent

....

• <u>Dictionnaire</u> : **re** → **t/ent**

rire :   il rit
           ils rient
croire :   il croit
           ils croient

....

Attention !

1. Verbes en **tir**

sortir :	il sort
	ils sort**ent**
partir :	il part
	ils part**ent**
sentir :	il sent
	ils sent**ent**

....

2. comme les verbes en **er**

offrir :	il **offre**
	ils **offrent**
ouvrir :	il **ouvre**
	ils **ouvrent**

3. voir :   il **voit**
                 ils **voient**

4. Ces verbes retrouvent au pluriel la consonne du radical

dor**mir** :	il dort
	ils dor**ment**
vi**vre** :	il vit
	ils vi**vent**
sui**vre** :	il suit
	ils sui**vent**
ser**vir** :	il sert
	ils ser**vent**
met**tre** :	il met
	ils met**tent**

....

5. Ces verbes prennent au pluriel une consonne **s**

dire :	il dit
	ils di**sent**
lire :	il lit
	ils li**sent**
conduire :	il conduit
	ils condui**sent**
plaire :	il plaît
	ils plai**sent**
se **taire** :	il se tait
	ils se tai**sent**

....

6. Ces verbes prennent au pluriel une consonne **v**

écrire :	il écrit
	ils écri**vent**
boire :	il boit
	ils boi**vent**
recevoir :	il reçoit
	ils reçoi**vent**

7. Ces verbes prennent au pluriel une double consonne : **nn** ou **ss**

prendre :	il prend
	ils pre**nnent**
apprendre :	il apprend
	ils appre**nnent**
comprendre :	il comprend
	ils compre**nnent**
tenir :	il tient
	ils tie**nnent**
venir :	il vient
	ils vie**nnent**
connaître :	il connaît
	ils connai**ssent**
apparaître :	il apparaît
	ils apparai**ssent**

8. Ces verbes prennent au pluriel les consonnes **gn**

peindre :	il peint
	ils pei**gnent**
se plaindre :	il se plaint
	ils se plai**gnent**

9.

Le singulier et le pluriel
de ces verbes sont très différents
de l'infinitif

pouvoir :	il **peut**
	ils **peuvent**
vouloir :	il **veut**
	ils **veulent**
devoir :	il **doit**
	ils **doivent**
savoir :	il **sait**
	ils **savent**

10.

Ces verbes sont très spéciaux !

avoir :	il **a**
	ils **ont**
aller :	il **va**
	ils **vont**
être :	il **est**
	ils **sont**
faire :	il **fait**
	ils **font**

DOSSIER 11
LE MYSTÈRE DU LAC

LE MYSTÈRE DU LAC :

Ce soir à 9 heures, ils vont apparaître

Sonia : Ecoutez, **je vais** vous **dire** mon secret !
Il y a deux fées et un génie des eaux qui vivent dans ce lac !
Vous allez voir ! Ils apparaissent le soir. C'est bientôt l'heure.
Ils vont apparaître à 9 h. Vous voyez, là-bas, il y a une barque ;
eh bien, **il va y avoir** des petites vagues, et puis les fées **vont
sortir** lentement ! Tuca, **tu vas voir** leurs longs cheveux
couleur d'or ! Ensuite **elles vont appeler** le génie des eaux.
Il **va entendre**. On **va voir** sa grande barbe d'algues vertes.
Bruno : C'est pas vrai ! Je **vais aller** voir.

QUELQUES MINUTES PLUS TARD

1. Sonia : attends ! Tu .... | voir

2. Tuca : mais comment elles .... sur l'eau ? | tenir

   Elles ....ou .... ? | nager/marcher

3. Sonia : elles ....! | glisser

   Puis le génie .... la barque. | prendre

   Alors les deux fées......................... la barque vers | pousser

   le gros rocher là-bas.

4. Bruno : ah oui ? Et après, qu'est-ce qu'ils ....? | faire

5. Sonia : vous .... bien .... : | regarder

   Ils .... dans la grotte. | entrer

   Ils .... | disparaître

6. Bruno : je ne te crois pas ! Je .... | plonger

JE SAIS			
je **vais** tu **vas** vous **allez** il/elle/on **va** nous **allons** ils/elles **vont**	plong**er** sort**ir** **voir** apparaî**tre**	bientôt demain	

② BRUNO VA-T-IL PLONGER ? QU'EST-CE QUI VA SE PASSER ?

Version 1 : il va plonger. Il .... nag .... jusqu'à la barque,

puis..

....

Version 2 : il ne va pas plonger. Il a peur ! Tous les trois, ils ....

attend .... encore ....

....

LE MYSTÈRE DU LAC (suite)

Les fées n'arrivent pas !
Bruno : Bon ! Allez, moi je **vais** plong**er**.
  Je **veux voir** cette grotte moi-même.
Sonia : Non ! Ne plonge pas ! Tu ne **peux** pas nag**er** là-bas.
  Il y a des algues noires et des gros serpents d'eau.
  Ils **peuvent** s'accroch**er** à toi !
Bruno : Mais je **sais** nager, moi ! Je n'ai pas peur !
Sonia : Bruno ! Il ne **faut** pas entr**er** dans ce domaine.
  On **doit** respect**er** la vie secrète de l'eau ;
  sinon, le génie **peut** deven**ir** méchant !
Tuca : Et qu'est-ce qu'il **peut faire** ?

---

③ C'EST DANGEREUX !

1. Sonia : le génie........... appel......... la tempête. Il........

ordonn......... à ses serpents de mordre. Et les serpents

.... entraîn....... et noy...........les enfants.

Pouvoir

2. Bruno : alors, il .... attrap .... ces monstres.

   Il .... préven .... tout le monde. Il ne .... pas laiss .... ⎫
   les gens se baigner ou pêcher dans le lac. ⎭ ▸ Falloir

3. Et puis non ! Je ne .... pas croi ..... cette histoire ! ⎫

   Je ne .... pas .... une folle comme toi !

   Sonia : il .... se baign ..... Il est fou ! C'est dangereux. ⎬ ▸ Vouloir

   Tuca : tu .... dispar ....? Tu .... mour ...... ? ⎭

4. Sonia : tu ...... me croi..... ! ⎫

   De toutes façons, on ne .... pas se baign ..... dans ce lac,

   c'est interdit ! Et les gens ne .... pas pêch ...... : ⎬ ▸ Devoir

   Regarde le panneau ! Et toi tu ne .... pas di.... que les fées

   et le génie sont des monstres. ⎭

   ┌───┐
   │ Appeler. Ordonner. Entraîner. Noyer. Attraper. Prévenir. Laisser. │
   │ Croire. Être. Se baigner. Disparaître. Mourir. Pêcher. Dire.   │
   └───┘

④ # QU'EST-CE QU'ILS DISENT ? QU'EST-CE QU'ILS FONT ?

1. Ils demandent

Tu .... me prêter ta canne à pêche ? ⎫

Je .... utiliser ton vélo ? ⎬ ▸ Pouvoir

Vous .... venir avec moi au lac ? ⎭

Tu .... bien m'aider ? ⎫

Vous .... bien m'attendre ? ⎭ ▸ Vouloir

2. Ils sont capables

Je .... attraper toutes les grenouilles du lac. ⎫

Les filles .... traverser le lac à la nage.

Vous .... attraper un oiseau ? ⎬ ▸ Pouvoir

Il .... grimper tout en haut de l'arbre. ⎭

Tu .... nager ? ⎫

Moi, je .... nager toutes les nages.

Vous .... pêcher ? ⎬ ▸ Savoir

Ils .... imiter le cri des hiboux. ⎭

3. Ils désirent, ils ont envie

Je .... aller nager.

Il .... attraper le génie du lac.

On .... voir les fées !

Elle ne .... pas apparaître.

Vous ne .... pas croire cette histoire.

▶ Vouloir.

4. Ils sont obligés

Je .... rentrer chez moi à dix heures.

Toi, tu .... faire attention.

Les fées .... obéir au génie.

Vous .... me croire.

On .... bien regarder : Il .... bien regarder !

▶ Devoir

On doit = il faut

5. C'est prévu

Les fées .... apparaître à 9 heures.

Normalement, le génie .... venir juste après.

▶ Devoir

6. C'est probable

— Les cerfs ne viennent pas ?

— Ils .... avoir peur !

— On n'entend pas le hibou.

— Il .... dormir.

▶ Devoir

⑤ QU'EST-CE QU'IL FAUT FAIRE ? QU'EST-CE QU'ON DOIT FAIRE ?

1. Quand on veut observer les oiseaux,

   on ne doit pas faire de bruit et il ne faut pas approcher trop près.

2. Quand on veut voir des étoiles filantes,

   ....

   ....

3. Si on veut voir des cerfs et des biches dans la forêt,

....

....

4. Quand on veut attraper un papillon,

....

....

5. Si on veut parler avec les hiboux le soir,

....

....

6. Si on veut attraper des grenouilles près d'un lac,

....

....

⑥ TU ES CAPABLE, TOI AUSSI ?

1. Il sait.. et toi ?

....

2. Ils ....et toi ?

....

3. Elle .... et toi?

....

4. Ils .... et toi?

....

1. VOULOIR

je	**veux**	
tu	**veux**	pêch**er**
vous	**voulez**	part**ir**
il/elle/on	**veut**	croi**re**
nous	**voulons**	connaî**tre**
ils/elles	**veulent**	

2. POUVOIR

je	**peux**	
tu	**peux**	attrap**er**
vous	**pouvez**	deve**nir**
il/elle/on	**peut**	**être**
nous	**pouvons**	**faire**
ils/elles	**peuvent**	

3. DEVOIR

je	**dois**	
tu	**dois**	respect**er**
vous	**devez**	préve**nir**
il/elle/on	**doit**	attend**re**
nous	**devons**	**avoir**
ils/elles	**doivent**	

4. FALLOIR

il	**faut**	part**ir**

5. SAVOIR

je	**sais**	
tu	**sais**	
vous	**savez**	nag**er**
il/elle/on	**sait**	condui**re**
nous	**savons**	**faire**
ils/elles	**savent**	

Attention !

vous **n'**allez **pas** sortir bientôt

tu **ne** veux **pas** connaître le génie

elle **ne** peut **pas** attraper ce papillon

on **ne** doit **pas** nager dans ce lac

il **ne** faut **pas** nager dans ce lac

ils **ne** savent **pas** imiter le hibou

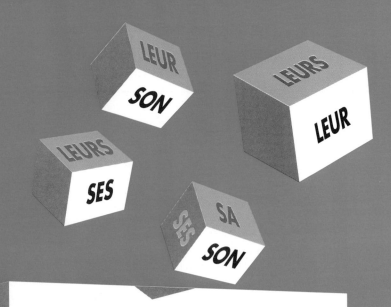

DOSSIER 12
LA PETITE AMIE
DE MARC

APRÈS L'ÉCOLE, LES GARÇONS DISCUTENT :

Bruno : Tu as une amie, toi ?

Marc : Oui, elle s'appelle Sophie.

Bruno : Comment est-elle ?

Marc : Elle est très belle. **Ses** cheveux sont blonds.

Bruno : Et **ses** yeux ?

Marc : Elle a les yeux bleus. **Ses** yeux sont très beaux.

Bruno : Elle aime la musique ? Comme toi ?

Marc : Oui, elle chante. **Sa** voix est superbe. Elle a une voix très belle.

Bruno : Où est-ce qu'elle habite ?

Marc : **Sa** maison est à côté de l'école. **Ses** parents sont profs :
   sa mère est prof de gym et **son** père est prof de musique.

Bruno : Elle a des sœurs ?

Marc : Oui, elle a deux sœurs et un petit frère ;
   ses sœurs sont déjà mariées.

Bruno : Dommage !…

Marc : Pourquoi ? Tu n'as pas d'amie, toi ?

Bruno : Pas encore.

Marc : Eh bien, Sophie a une amie. Tu veux connaître **son** amie ?
   Elle s'appelle Aurore.

MARC ÉCRIT DANS SON JOURNAL INTIME

1. « J'ai .... amie, elle s'appelle Sophie.

2. .... cheveux sont blonds, ... yeux sont bleus.

3. Elle aime la musique, elle chante : .... voix est merveilleuse

4. .... grande maison est à côté de l'école parce que

   .... père est prof de musique et .... mère prof de gym.

5. Sophie a des sœurs. .... sœurs sont grandes ; elles sont déjà

   mariées ! Mais .... petit frère a seulement neuf ans.

6. .... amie s'appelle Aurore, j'espère qu'Aurore va rencontrer

   mon copain Bruno ».

2 DEVINETTES

1. — Il est en bois, ... nez est très long,

.... père s'appelle Giacometto, qui est-ce ?

2. — Il vient d'une petite planète. .... fleur préférée est une rose.

.... rose est restée sur .... petite planète.

Sur terre, ... ami préféré est un renard. Qui est-ce ?

3. — .... cheveux sont très noirs. Il vit dans la jungle

avec .... amie Bagheera et .... professeur Baloo.

.... amis sont tous des animaux de la jungle. Qui est-ce ?

4. — .... père et .... mère sont pauvres. .... frères ont faim.

Grâce à .... petits cailloux blancs, il va retrouver le chemin

de .... maison. Qui est-ce ?

5. — .... neveux lui demandent toujours de l'argent.

.... maison est pleine d'or. .... grand défaut, c'est l'avarice.

Qui est-ce ?

6. — .... visage est toujours masqué. .... masque est noir

.... cape est noire et violette .... cheval est très rapide.

.... domestique est muet .... amis sont toujours en danger.

Qui est-ce ?

7. — .... barbe est blanche. .... sac est plein de jouets

.... robe est rouge. Il rend visite à .... amis,

les enfants, à Noël. Qui est-ce ?

3 VOICI LA POUPÉE DE SONIA

1. — Dessine .... petit nez !

2. — Dessine .... jolie bouche !

3. — Dessine .... bras et .... mains !

4. — Dessine .... jambe droite et .... pied droit !

VOICI LE CHIEN DE BRUNO

1. — Dessine .... queue blanche

2. — Dessine .... quatrième patte noire

3. — Dessine .... longues oreilles de la couleur que tu aimes.

4. — Selon toi, quel est .... nom français ? Médor ou Bobi ?

METS LE BON NUMÉRO DANS LES CASES.

le nez ☐

la bouche ☐

la tête ☐

le corps ☐

les cheveux ☐

les yeux ☐

les oreilles ☐

les jambes ☐

les bras ☐

les mains ☐

les dents ☐

les pieds ☐

POUR DESSINER UN BONHOMME

1. — D'abord, je dessine .... tête

2. — et puis .... corps .... bras et .... jambes.

3. — Qu'est-ce qui manque encore ?

.... bouche .... yeux .... nez.

4. — et puis .... pieds, ... mains et .... cheveux.

5. — Quand je dessine un bonhomme,

j'oublie toujours de dessiner ..... âme, ... cœur,

..... imagination et .... défauts.

CHANSON DE LA VIEILLE FRANCE

« C'était une Dame Tartine

Dans .... palais de beurre frais

.... murailles étaient de praline

Et .... toit était de chocolat

.... chambre à coucher était de pâté

.... lit de biscuits, ... rideaux de gâteaux ».

● Pour elle ♀	Sophie est **une** copine. je connais **son** père. **sa** mère. **ses** sœurs. et **ses** frères. **son** amie Aurore.		♂→ ♀ ♂ 1+..... 1+..... ♀
● Pour lui ♂→	Marc est **un** copain. je connais **son** ranch. **sa** famille. **ses** idées **son** amie Sophie.		♂→ ♀ ♂ 1+..... ♀

ASTERIX ET OBELIX, VOUS CONNAISSEZ ?

Ce sont deux Gaulois inséparables !
Leur village se trouve en Bretagne. Les villageois sont
leurs amis, mais **leurs** ennemis sont très nombreux, ce sont
les soldats romains. Obelix est très gros, il mange **ses** quatre
sangliers par repas. **Son** chien, Idefix, est tout petit.
Asterix aussi est très petit, mais **son** intelligence et **sa** ruse
sont très grandes.

8 LES AVENTURES D'OBELIX ET D'ASTERIX

1. — .... aventures se passent un peu partout.

    Ils ne restent pas longtemps dans .... petit village.

2. — **Obélix** est livreur de menhirs mais on ne sait pas

    où il transporte .... grosses pierres.

3. — **Asterix et Obelix** sont très forts. .... force vient d'une potion magique.

4. — .... chef s'appelle Abraracourcix. Il ne marche pas.

    Il est porté par ...... fidèles soldats sur un bouclier.

5. — **Panoramix,** c'est le druide, le prêtre du village.

    .... potion magique est merveilleuse.

6. — **Asterix et Obelix** passent beaucoup de temps à boire et

    à manger : .... repas sont énormes, ... amis très nombreux.

    Ils aiment tout le monde sauf .... barde,

    un très mauvais guitariste qui chante très mal :

    .... voix et .... chansons endorment tout le village.

9 TU CONNAIS MONSIEUR ET MADAME OPTIMISTE ?

1. — Ils sont toujours contents. .... vie est très agréable,

    .... enfants sont adorables, ... magasin marche très bien,

    .... clients sont très riches.

2. — Madame Optimiste a beaucoup d'amis. .... amis

    aiment beaucoup ...... cuisine et surtout .... gâteaux.

3. — Monsieur Optimiste adore .... femme et .... enfants.

Le soir, quand .... magasin est fermé, il cultive .... jardin

ou promène .... chien.

(10) **IMAGINE LA VIE DE MONSIEUR ET MADAME PESSIMISTE !**

1. Ils ne sont jamais contents. ....vie est très triste.

.... enfants ....

....

Madame Pessimiste ....

....

....

Monsieur Pessimiste ....

....

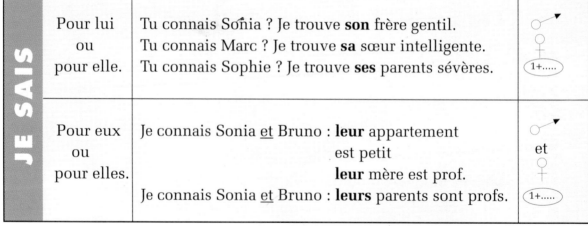

72

LE...DES

LE... DU

LE... DE LA

LES... DE L'

LES... D'

LES... DE LA

DOSSIER 13

QUESTIONS POUR UN CHAMPION

« QUESTIONS POUR UN CHAMPION » : JEU TÉLÉVISÉ

Bonjour ! Vous connaissez bien ce jeu télévisé ?
Vous êtes prêts à répondre ? Aujourd'hui,
le champion va gagner un camescope !
Alors, d'abord, « la géographie » :

1. « Quelle est **la** capitale **de la** Grèce ? »
2. « Quel est **le** nom **du** plus long fleuve américain ? »
3. « Comment s'appellent **les** habitations **des** Esquimaux ? »
4. « Quel est **le** nom **de la** capitale **du** Brésil ? »
5. « Comment s'appelle **l'**état le plus grand **de l'**Amérique du sud ? »
6. « Quel est **le** nom **du** pays **de** Christophe Colomb ? »

ET MAINTENANT, « L'HISTOIRE ».

1. **Quel** est .... nom .... président actue**l** .... État**s**-Uni**s** ?
2. **Quelle** est .... date .... fête national**e** .... Français ?
3. **Quel** est .... nom .... premier astronaute américain ?
4. Comment s'appelle .... successeur .... Louis XIII ?
5. **Quelle** est .... a̲nnée .... révolution française ?
6. **Quel** est .... nom de famille .... Napoléon premier ?

POUR FINIR : « VOS HÉROS DE BANDES DESSINÉES »

1. Comment s'appelle ..... a̲mie .... Tarzan ?
2. Qui est .... fidèle compagnon .... Astérix ?
3. Connaissez-vous .... nom .... chien .... Tintin ?
4. Comment s'appellent .... habitants .... planète Astrale ?
5. Qui est .... seul ami .... Robinson Crusoe ?

RELATIONS FAMILIALES

1. L'oncle maternel : C'est .... frère .... mère
2. La grand-mère paternelle : C'est .... mère .... père

3. La tante maternelle : .... sœur .... mère

4. Les grands-parents maternels : .... mère

5. L'oncle paternel : ....

6. La tante paternelle : ....

7. Le fils : C'est .... enfant .... père ou .... mère

8. La fille : ....

9. Le cousin : C'est ...... fils .... frère ou .... sœur ...... père ou .... mère

10. La cousine : C'est .... fille ....

(4) FAMILLE DUCHÊNE ET FAMILLE LAMANCHE

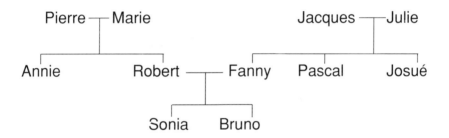

Pierre — Marie   Jacques — Julie

Annie   Robert — Fanny   Pascal   Josué

Sonia   Bruno

1. Qui est Sonia par rapport à Robert et à Pierre ?

....

2. Qui est Annie par rapport à Sonia ?

....

3. Qui est Jacques par rapport à Sonia ?

....

4. Qui est Pascal par rapport à Bruno ?

....

5. Qui est Fanny par rapport à Robert et à Bruno ?

....

RETROUVE L'ORDRE ET L'HARMONIE

a. Qu'est-ce qui va ensemble ?

b. C'est évident !

1. C'est .... bouchon .... bouteille.
2. C'est .... pied .... table.
3. C'est .... guitare .... musicien.
4. C'est .... chapeau ....cow-boy.
5. C'est .... valise .... voyageur.
6. C'est .... chauffeur .... taxi.
7. Ce sont .... chaussures .... enfants.
8. C'est .... voile .... bateau.
9. Ce sont .... clés .... porte.
10. C'est ...... chat .... mère Michèle.
11. C'est ...... école ...... enfants.
12. Ce sont .... enfants ....école.

JE SAIS

La guitare **de** Bruno.
Le père **de** Sonia.
La mère **de la** cousine.
Les parents **du** garçon.
Les cordes **de la** guitare.
L'école **des** enfants.
Les enfants **de l'**école.
Les livres **des** garçons.

DOSSIER 14
UN RALLYE
À BICYCLETTE

SIGNE DE PISTE : RALLYE À BICYCLETTE

Les organisateurs expliquent

Bernard : Ecoutez-nous ! Vous part**irez** tous ensemble. Vous vous arrêt**erez** au carrefour de l'arbre rouge. C'est là que le rallye commenc**era** et vous cherch**erez** le premier message.

Bruno :   Et toi, tu nous attend**ras** aux étapes ?

Bernard : Moi, Jean et Katia, nous circul**erons** en voiture et nous transport**erons** le matériel. Mais on vous attend**ra** aux étapes bien sûr !

Olga :   C'est le premier arrivé qui gagn**era** ?

Bernard : Les premiers qui arriv**eront** ne gagn**eront** pas obligatoirement. Il y a aussi des jeux.

Sonia :   Et si quelqu'un se perd dans la forêt ?

Bernard : Je surveill**erai** tout le monde, personne ne se perd**ra** !

QUI PERDRA ? QUI GAGNERA ?

1. Tuca : Est-ce que vous nous ....   aider

    quand on ne .... pas ?   trouver

2. Katia : Si on aide quelqu'un,

    il .... dix points !   perdre

3. Julien : Moi, mon vélo est vieux et

je ne sais pas s'il .... bien ! | marcher

4. Jean : Je .... les outils nécessaires dans | prendre

ma voiture et tu .... ton vélo. | réparer

5. Bernard : Les autres t' .... peut-être. | aider

6. Julien : Mais non, ils .... se dépêcher. | préférer

---

LES MESSAGES

UN AUTRE MESSAGE

1. — Ici, tu .... boire de l'eau.	pouvoir
2. — Mais il .... trouver la bouteille.	falloir
3. — et tu .... attendre un autre copain pour boire avec lui.	devoir
4. — Vous .... d'abord déchiffrer ce message :	devoir

LE MESSAGE A ÉTÉ DÉCHIRÉ !

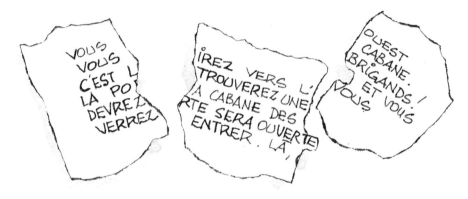

2. RECONSTITUE LES MESSAGES

1.

2.

3.

④ DÉCHIFFRE LE MESSAGE :

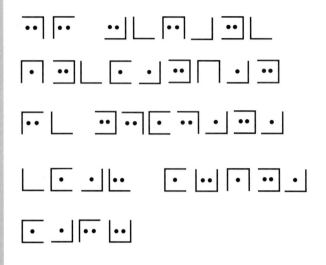

A	⌐	J	Γ	R	••
B	•⌐	K	•⌐	S	⌐
C	⌐••	L	⌐••	T	⌐•
D	⌐	M	⌐	U	••
E	•	N	•	V	•
F	••	O	•••	W	□
G	⌐	P	⌐	X	•
H	⌐	Q	•	Y	••
I	••			Z	⌐

⑤ ATTENTION !

1. — Si vous cueillez des fleurs, vous aurez une amende.

2. — Si vous jetez une cigarette allumée dans cette corbeille à papiers, vous ....

3. — Si vous buvez cette eau, vous ....
....

4. — Si tu bois de ce liquide, ...

5. — Si vous faites du feu dans cette forêt,...
....

6. — Si vous entrez dans cette propriété,...................................
............une décharge électrique.

6 INSISTE UN PEU

Julien ne veut pas venir au rallye à bicyclette parce que son vélo ne marche pas bien. Tu veux qu'il participe.

Programme
Feu de camp
Chants
Danse
Jeux ..

Menu.
.Crêpes aux champignons de la forêt.
.Saucisses grillées
.Pomme de terre sous la cendre
.Fraises des bois.

Viens Julien, tu verras

....
....
....
....
....
....

Attention !

courir		**courr**	
mourir		**mourr**	
venir		**viendr**	
tenir		**tiendr**	
recevoir	je	**recevr**	**ai**
devoir	tu	**devr**	**as**
vouloir	il/elle/on	**voudr**	**a**
pouvoir	nous	**pourr**	**ons**
savoir	vous	**saur**	**ez**
avoir	ils/elles	**aur**	**ont**
voir	nous	**verr**	
faire		**fer**	
être		**ser**	
aller		**ir**	

falloir	il **faudra**

84

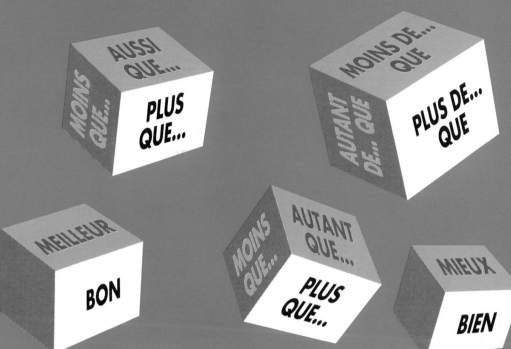

MOINS QUE...
AUSSI QUE...
PLUS QUE...

MOINS DE... QUE
AUTANT DE... QUE
PLUS DE... QUE

MEILLEUR
BON

MOINS QUE...
AUTANT QUE...
PLUS QUE...

MIEUX
BIEN

DOSSIER 15

LE LIÈVRE ET LA TORTUE

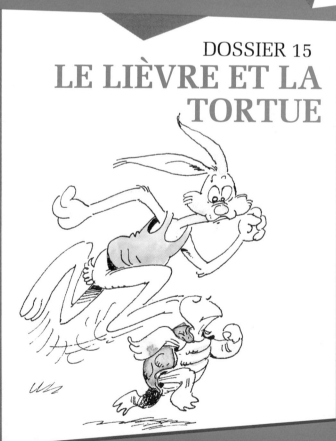

PETIT JEU DES IDÉES TOUTES FAITES !

	vrai	faux	peut-être
1.			X
2.			
3.			
4.			
5.			
6.			
7.			
8.			
9.			
10.			

1. — « Les filles sont .... petites .... les garçons »

2. — « Les femmes sont .... égoïstes
   .... les hommes »

3. — « Le train va .... vite .... l'avion ».

4. — « La tortue court .... lentement
   .... le lièvre ».

5. — « Le chat est .... intelligent ....
   le chien ».

6. — « Les filles sont .... sages ....les garçons »

7. — « Les enfants sont .... heureux ....
   leurs parents ».

8. — « La télévision est .... utile .... les livres ».

9. — « Les garçons sont .... gourmands
   .... les filles ».

10. — « Les pères sont .... sévères
    .... les mères ».

SONIA ET TUCA SE DISPUTENT

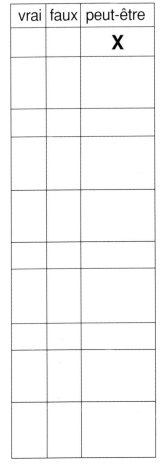

1. Sonia : Je .... jolie....................
   Tuca : Pourquoi ? Je suis jolie, moi aussi !

2. Sonia : Non, moi j'ai des robes.
   Elles .... belles .... les tiennes !

3. Tuca : Peut-être ! Mais mes cheveux .... blonds .... les tiens.

4. Sonia : C'est faux ! Mes cheveux .... blonds ....les tiens !

5. Tuca : Peut-être ! Mais tu .... grosse ....

6. Sonia : Moi, je suis jolie .... un cœur !
   Tuca : Ce n'est pas vrai ! Tu es laide .... un pou !
   Sonia : Et toi, tu es bête .... tes pieds !
   Tuca : Je te déteste !
   Sonia : Moi aussi !

3 VIVE LA DIFFÉRENCE !

1. — L'un est grand, l'autre pas.

   Pierre .... Jacques

2. — L'une est grosse, l'autre pas

   La mandarine.........................

3. — L'un est gentil, l'autre pas.

   L'Astralien rieur ....Méphisto

4. — L'une est sympa, les autres pas

   Cendrillon ....

5. — Les unes sont sages, les autres pas.

   Julie et Suzy .... Sonia et Tuca.

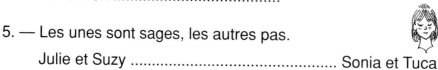

JE SAIS

- Sonia est **plus** grande **que** Bruno.
  Bruno est **moins** bavard **que** Sonia.
- Bruno est **aussi** grand **que** Marc
  Ils sont **aussi** grands l'un **que** l'autre.
- Le lièvre court **plus** vite **que** la tortue.
  Il est rapide **comme** une fusée.

ENTRE CHIEN ET CHAT

Aurore : J'aime **bien** les chats.

Bruno : Moi, j'aime **mieux** les chiens.

Aurore : Pourquoi ?

Bruno : Parce que les chiens sont plus fidèles.

Aurore : Oui, mais les chats font **moins de** bruit **que** les chiens.

Bruno : Oui, mais avec les chiens, on joue **plus qu'**avec les chats.

Aurore : C'est normal ! Les chats passent **plus de** temps à dormir !

Bruno : Moi, mon chien, il sait sauter et il donne la patte.
Il sait faire **plus de** choses **que** ton chat !

Aurore : Ton chien est sale, il se lave **moins que** mon joli chat…
Et puis, mon chat, il fait **moins de** bêtises **que**
ton stupide chien !

Bruno : Non, ce n'est pas vrai !
De toutes façons, ton chat fait **autant de** bêtises **que** toi !

Aurore : J'aime **mieux** mon chat **que** toi !

Bruno : Ton chat est **comme** les filles ! Il pleure **autant que** les filles !

Aurore : Et ton chien, il **te ressemble** !

DISPUTE DE JUMEAUX

1. Pierre : Je suis .... grand .... toi !

   Fred : Non, ce n'est pas vrai ! Je suis .... grand .... toi !

2. Pierre : Mais tu fais .... sport .... moi.

   Fred : Je fais .... sport .... toi : Tu fais du ski et moi aussi !

3. Pierre : Oui, mais je skie .... toi ! Je vais .... vite .... toi.

   Fred : Moi, je saute .... haut.

4. Pierre : C'est normal ! Tu manges .... moi.

   Fred : C'est faux, je mange .... toi !

5. Pierre : Tu manges .... bonbons .... moi ! Ça, c'est vrai!

   Fred :   C'est faux! Tu manges .... bonbons .... moi.

6. Pierre : Mais, je suis .... grand .... toi, c'est normal.

   Fred : D'accord! Tu .... grand! Mais moi, j'ai .... amis

   ....toi et les filles m'aiment .... toi!

5 CHARLY ET BETTY

1. Charly : « Moi, j'ai seulement
   10 francs par semaine ».
   Betty : « Moi, j'ai cent francs
   par semaine ! »

   Betty ....argent que Charly

2. Betty : « J'ai deux amis, moi ».
   Charly : « Moi,
   j'ai beaucoup d'amis ».

   Betty .... Charly

3. Charly :« Moi, je lis 3 heures
   par jour ».
   Betty : « Moi aussi ».

   Betty .... Charly

4. Betty : « Je fais du sport :
   Ski, tennis, natation ».
   Charly : « Moi, je fais du vélo ».

   Betty .... Charly

5. Betty : « Au jeu, je gagne souvent :
   J'ai de la chance, moi ! »
   Charly : « Moi, je perds toujours
   Je n'ai pas de chance au jeu ».

   Pauvre Charly ! ....
   .... Betty !
   Au jeu, elle gagne ....
   .... que ....

6. Betty : « Je suis très heureuse ! ».
   Charly : « Moi aussi »

   Charly .... Betty

6 COMMENT EST TON MEILLEUR AMI OU TA MEILLEURE AMIE ?
EST-IL / EST-ELLE PLUS DRÔLE QUE TOI ?

Possibilités

1. ....
....
....

1. beau/grand/intelligent
   sympa/amusant/drôle
   etc...

2. ....   2. imagination / courage /

....   force / patience /

....   gentillesse / politesse

....   etc.

3. ....   3. travailler / jouer /

....   parler / donner /

....   rire / écouter / etc...

⑦ LES UNS L'AIMENT, LES AUTRES PAS !

Dis pourquoi tu aimes une émission de télé et pas une autre :

....

....

....

JE SAIS

Betty a **plus d**'argent **que** Charly.
Charly a **moins d**'argent **que** Betty.
Sonia a **autant d**'argent **que** son frère Bruno.
Ils ont **autant d**'argent l'un **que** l'autre.

Charly travaille **plus que** Bruno.
Betty travaille **moins que** Charly.
Betty travaille **autant que** Sonia.
Elles travaillent **autant** l'une **que** l'autre.

J'aime **bien** Betty.
J'aime **mieux** Charly. Il est **plus** gentil **qu'**elle .
Betty et Charly sont **comme** Sonia et Bruno.
Ils sont **aussi** gentils les uns **que** les autres.
Oui, ils sont **pareils**, ils **se ressemblent** !

DOSSIER 16
LA VOITURE
TÉLÉCOMMANDÉE
MIKA

MES JOUETS, JE LES MONTRE MAIS JE NE LES PRÊTE PAS !

Marc : Hé ! Bruno viens voir ma super voiture MIKA !

Bruno : Elle est chouette, dis donc ! Tu **la** conduis comment ?

Marc : Je **la** télécommande avec ce boîtier de commande.

Bruno : Montre-**le** !

Marc : Ne **le** touche pas ! Je vais **le** mettre en marche : regarde ! J'appuie sur ce bouton vert et ma voiture avance ; j'appuie sur le bouton rouge et je **l'**arrête ; avec ce bouton blanc, je **la** mets en marche arrière. Tu comprends ?

Bruno : Oui, mais ta voiture, elle marche avec des piles ?

Marc : Avec des piles rechargeables.

Bruno : Tes piles, tu **les** recharges comment ?

Marc : Je **les** branche sur une prise de courant ordinaire. Deux heures après, je peux **les** utiliser. Et ma voiture je peux **la** conduire à 20 km à l'heure !

Bruno : Je peux **l'**essayer, ta voiture ?

Marc : Non, tu peux **la** regarder mais je ne **la** prête pas.

DANS LA COUR DE RÉCRÉATION

1. — Comment tu trouves **mes patins** à roulettes ?

— Montre ....! Oui, ils sont beaux, je .... trouve très bien.

Je peux .... essayer ?

— Non, je ne .... prête pas, ils sont tout neufs.

2. — Regarde **ma planche** à roulettes. Je .... <u>ai</u> depuis deux jours.

— Elle roule bien ?

— Tu veux .... <u>e</u>ssayer ? essaie-............, si tu veux.

— Non, j'ai peur de .... casser.

3. — Je vends **tous mes Astraliens**, tu veux .... acheter ?

— Tu .... vends combien ?

— Je .... vends 300 francs.

— Pourquoi tu .... vends ?

— Je veux acheter un ordinateur.

— Où est-ce que tu vas .... mettre, **ton ordinateur** ?

Attends ! Je ne .... <u>a</u>i pas encore,

mais j'espère .... <u>a</u>cheter le mois prochain.

4. — J'ai un camescope. C'est un Thomson VHS.

Tu peux .... voir, **mon camescope**.

— Tu sais .... mettre en marche ?

— C'est facile ! Tu .... mets sur ton épaule, tu .... règles et tu filmes.

— Je peux .... <u>e</u>ssayer ?

— D'accord, regarde par la fenêtre. Tu vois **les gens** ?

— Oui, mais je .... vois mal.

— Alors, règle **l'objectif** ! Il faut .... régler ici, ça va maintenant ?

— Ah oui ! Maintenant, **les gens** dans la rue, je .... vois très bien.

② ET ENCORE D'AUTRES JOUETS !

1. — Tu as des poupées, toi ?

— Oui, j'ai une poupée, elle s'appelle Belle,

elle ferme **les yeux** et elle .... ouvre. Je ...... lave et je ..... habille

et je peux .... peigner.

2. — Moi, j'ai des robots, **ils** sont supers !

— Tu .... laves ? Tu .... habilles ? Tu peux .... peigner ?

— Mais pas du tout ! **Mes robots**, je .... monte et je ...... démonte.

Ils marchent tout seuls ; alors, je .... poursuis dans la maison

et je ...... attrape. Je .... regarde et je .... écoute parce qu'ils parlent.

3. — Et **les poupées**, tu aimes ça ?

— Moi, les poupées, je .... laisse aux filles mais quelquefois,

avec ma sœur, on .... lave ou on .... habille, c'est amusant.

4. — Moi, j'ai un chat. A la maison, je joue avec **mon chat**.

— Tu .... <u>a</u>imes bien, ton chat ? Tu .... laves aussi ?

— Non, je ne .... lave pas ! Je ne peux pas .... laver.

— Alors, comment tu joues avec ton chat ?

— Je ...... regarde et puis je .... caresse quand il dort.

— Il attrape **les souris** ?

— Il peut .... attraper et il peut .... manger aussi.

— Oh ! Il .... mange, les souris ? Il est méchant, ton chat !

— Mais non, il ne .... mange pas parce qu'il n'y a pas de souris chez moi!

③ ET TOI ? COMMENT TU JOUES AVEC TES JOUETS OU AVEC TES ANIMAUX DOMESTIQUES ?

Possibilités

« Moi, j'ai...

....

....

....

....

....

conduire

remonter/démonter

promener

attraper

regarder

écouter

ouvrir/fermer

laver

habiller

mettre au lit

montrer/prêter

caresser

JE SAIS

Mon robot, je **le** remonte et je **l'**écoute, je ne **le** prête pas.

Ma poupée, je **la** lave et je **l'**habille, je ne **la** coiffe pas.

Mes Astraliens, je **les** aime mais je **les** vends, je ne **les** donne pas.

Ton robot, montre-**le** ! Ne **le** cache pas !

Ta poupée, vends-**la,** ne **la** garde pas !

Tes Astraliens, garde-**les**, ne **les** vends pas !

Mon robot, je **vais le** démonter, je ne **vais** pas **le** remont**er**.

Ma poupée, je **veux la** laver, je ne **veux** pas **la** coiff**er**.

Mes Astraliens, je **dois les** vendre, je ne **peux** pas **les** gard**er**.

95

DOSSIER 17
LA FAMILLE ET LES AMIS

CONTACTS PERSONNELS.

Julien écrit à son grand-père.

Sonia téléphone à sa grand-mère !

Julien : Moi, **à mon grand-père**, je **lui** écris toujours mais il ne me répond pas, il est trop vieux.

Sonia : Moi, j'ai une grand-mère, elle me donne des jouets à Noël.

Julien : Ah ! Elle te donne des jouets ! Et toi, qu'est-ce que tu **lui** donnes, **à ta grand-mère** ?

Sonia : Rien. Mais ma mère **lui** fait un cadeau.

Julien : Ta grand-mère habite chez toi ?

Sonia : Non, mais je **lui** téléphone souvent et puis je **lui** envoie des cartes postales.

Julien : Tu l'aimes bien, ta grand-mère ?

Sonia : Oui, je l'adore ! Elle est très gentille.

Julien : Moi aussi je l'aime bien, mon grand-père. Mais quand je **lui** demande quelque chose, il ne me donne rien.

TESTE TON COMPORTEMENT AVEC LES AUTRES !

	A	B
1. Qu'est-ce que tu fais quand tu es fâché(e) avec ton ami(e) ?	❏ Je ..... parle.	❏ Je ne .... parle pas.
2. Qu'est-ce que tu fais quand tu veux être ami(e) avec quelqu'un ?	❏ Je .... prête mes crayons de couleur.	❏ Je .... demande ses crayons de couleur.
3. Qu'est-ce que tu fais quand tu veux être gentil(le) avec ta mère ?	❏ Je .... offre un cadeau.	❏ Je .... demande un cadeau.
4. Qu'est-ce que tu fais quand c'est la fête de ton grand'père ?	❏ Je .... écris ou je .... téléphone.	❏ je ne .... écris pas et je ne .... téléphone jamais.
5. Qu'est-ce que tu fais quand ton frère t'énerve ?	❏ Je .... dis de se calmer.	❏ Je .... donne une gifle.

6. Qu'est-ce que tu fais quand ton ami(e) ne sait pas faire son exercice de français ?

❏ Je ..... explique l'exercice	❏ Je ...... dis qu'il/elle est bête !
❏ Je .... obéis	❏ je ne .... obéis pas

7. Qu'est-ce que tu fais quand ton père te dit d'aller au lit ?

 CONTINUE LE TEST

	A	B
1. Qu'est-ce que tu dis quand tu rencontres quelqu'un ?	❏	❏ ....
2. Qu'est-ce que tu fais quand le professeur te pose une question ?	❏	❏ ....
3. Qu'est-ce que tu dis quand quelqu'un te donne un cadeau ?	❏	❏ ....

aimer quelqu'un
regarder quelqu'un
rencontrer quelqu'un

JE SAIS

Parler **à** quelqu'un
Téléphoner **à** quelqu'un
Obéir **à** quelqu'un
Répondre **à** quelqu'un
Écrire **à** quelqu'un

Offrir **à** quelqu'un un cadeau
Expliquer **à** quelqu'un un problème
Demander **à** quelqu'un un service
Montrer **à** quelqu'un des photos
Donner **à** quelqu'un de l'argent
Dire **à** quelqu'un de se calmer

SONIA PRÉPARE UNE PETITE FÊTE

— Maman, je peux inviter mes copains ?

— Demain ?

— Oui, je voudrais dire **à** Julien, **à** Marc et **à** Olga
de venir à la maison.

— Qu'est-ce que tu vas **leur** offrir ?

— Je peux **leur** préparer un gâteau.

— Oui, prépare-**leur** un gâteau au chocolat et comme boisson,
tu **leur** offres des jus de fruits, par exemple.
Mais qu'est-ce que vous allez faire ?

— On va jouer au Trivial Pursuit et puis
je peux **leur** montrer mon nouveau jeu électronique.

— Alors, tu vas dire **à** Marc de faire attention !

— Je **lui** dis toujours de faire attention.

— Tu l'aimes trop, ton Marc ! Tu **lui** prêtes toutes tes affaires
et il casse tout.

— Oh ! Je les aime tous, mes amis et c'est normal
de **leur** prêter mes jeux, non ?

 JE SUIS TOUJOURS SYMPA AVEC MES AMIS !

1 Quand **mes copains** et **mes copines** viennent à la maison,
je .... montre tous mes jeux : on joue ensemble.

2. Je .... prête mon vélo et on s'amuse dans le jardin.

3. À 4 heures, ma mère .... donne des gâteaux et moi,
je .... offre des jus de fruits.

4. Quand **un copain** fait trop de bruit, je .... dis de faire attention
ou bien je .... demande de partir.

5. Quand **une copine** ne veut plus jouer, je .... propose
de regarder la télé ou bien je .... parle.

 QUEL DIABLE, CE DÉMO !

1. Quand il a des copains, il .... demande toujours quelque chose.

2. Quand sa sœur étudie, il .... tire les cheveux, il .... casse ses poupées.

3. Quand un copain .... prête un livre, Démo ne le rend pas.

4. Quand son père .... dit quelque chose, il n'écoute pas.

5. Quand c'est la fête de ses parents, il ne .... donne rien.

6. Quand ses copains .... offre un cadeau, il ne .... dit pas merci.

⑤ ET TOI ? TU TE CONNAIS BIEN ?

1. Ton père t'appelle, qu'est-ce que tu fais ?

....

2. Des amis viennent te voir,

   qu'est-ce que tu fais ?

....

3. Un amie te donne un cadeau,

   qu'est-ce que tu fais ?

....

4. C'est la fête de tes grands-parents,

   qu'est-ce que tu fais ?

....

5. C'est ton anniversaire,

   qu'est-ce que tu demandes à tes parents ?

....

6. Tes copains ne comprennent pas

   le problème de mathématiques,

   qu'est-ce que tu fais ?

....

7. Quelqu'un pleure dans la cour

   de récréation, qu'est-ce que tu fais ?

....

8. Un ami n'a pas de vélo,

   qu'est-ce que tu fais ?

....

aider quelqu'un

aimer quelqu'un

regarder quelqu'un

écouter quelqu'un

consoler quelqu'un

répondre **à** quelqu'un

obéir **à** quelqu'un

téléphoner **à** quelqu'un

écrire **à** quelqu'un

parler **à** quelqu'un

dire merci **à** quelqu'un

prêter **à** quelqu'un quelque chose

demander **à** quelqu'un   //

offrir **à** quelqu'un   //

donner **à** quelqu'un   //

expliquer **à** quelqu'un   //

montrer **à** quelqu'un   //

À mon grand-père ? Je **lui** téléphone souvent, je ne **lui** écris pas.

À ma grand-mère ? Je **lui** écris, je ne **lui** téléphone pas.

À mes parent**s**, je **leur** fais un cadeau, je ne **leur** montre pas avant

Ecris-**lui** !   Ne **lui** téléphone pas !

Ecris-**leur** ! Ne **leur** téléphone pas !

À mon copain ? Je **vais lui** téléphon**er**, je ne **vais** pas **lui** écrire.

À mes ami**s** ? Je **peux leur** téléphon**er** mais je ne **veux** pas **leur** écrire.

Mon grand-père ? Je **le** vois souvent et je l'aime bien.

Ma grand-mère ? Quand je **la** rencontre, je l'écoute.

Mes amis ? Je **les** invite souvent.

101

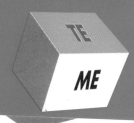

DOSSIER 18
DES RELATIONS PAS TOUJOURS FACILES

TU LES CONNAIS BIEN N'EST-CE PAS ?

| 1. | Ton père | 2. | Ta mère | 3. | Ton frère | 4. | Ta sœur |

Alors, indique qui **te** dit le plus souvent :
1. Ecoute-**moi** ! ☐
2. Apporte-**moi** le journal ! ☐
3. Réponds-**moi**, quand je **te** parle ! ☐
4. Obéis-**moi**, quand je **te** demande quelque chose. ☐
5. Ne crie pas quand tu **me** parles. ☐
6. Ne **me** prends pas mes crayons ! ☐
7. Tu ne **m'**écoutes jamais ! ☐
8. Ne **me** réponds pas quand je **te** dis quelque chose. ☐
9. Aide-**moi** à mettre le couvert ! ☐
10. Tu **me** déranges toujours ! ☐
11. Laisse-**moi** tranquille ! ☐
12. Réveille-**toi** ! ☐
13. Ne **te** plains pas ! ☐
14. Dis-**moi** où tu vas ! ☐

EN FAMILLE

1. Je .... parle ! réponds- ....
2. Tu .... écoutes ? Je .... parle !
3. Je .... demande un service ! Aide-.........
4. Tu .... fatigues, laisse- .... tranquille !
5. Pourquoi tu ne .... réponds pas ?
6. Pourquoi tu ne .... écoutes pas ?
7. Tu peux .... aider ?
8. Tu dois .... dire où tu vas !

TU PARLES À TON AMI(E)

1. Dis-lui de **te laisser** tranquille.

   « .... ! »

2. Dis-lui de **te donner** son robot.

   « .... ! »

3. Dis-lui de **te prêter** ses crayons de couleur.

« ....! »

4. Dis-lui de **t'aider** à réparer ton vélo.

« .... ! »

5. Dis-lui de **t'écouter**.

« ....! »

6. Dis-lui de **ne pas te déranger**.

« ....! »

7. Dis-lui de **ne pas te réveiller** trop tôt.

« ....!»

8 Dis-lui de **te téléphoner** vers 10 heures

« ....!»

 FAIS PARLER CE PERROQUET !

Il répète tous les ordres qu'il entend chez toi !

④ ÉCOUTE BIEN TON ROBOT !

Le matin, c'est difficile de : se réveiller, se lever, se laver, s'habiller, se coiffer, se dépêcher.

Alors écoute bien ton robot :

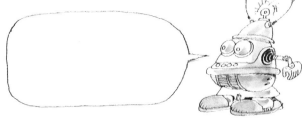

JE SAIS

• Pour les verbes avec **se**

se lever, **se** dépêcher, **se** rappeler etc.

Elle se lève ou **elle** ne se lève pas?

— **Tu te** lèves ?	lève-**toi** !	ne **te** lève pas !
— Oui, **je me** lève et puis, non !	rappelle-**toi** !	ne **te** couche pas !
je ne **me** lève pas.	dépêche-**toi** !	ne **te** coiffe pas !
— **Tu** ne veux pas **te** lever ?	plains-**toi** !	ne **te** plains pas !
— **Je** vais **me** lever plus tard.	tais-**toi** !	

• Pour les autres verbes

attendre, regarder, téléphoner, obéir etc.

— Elle **m'**attend ?	attends-**moi** !	ne **m'**attends pas !
— Elle **t'**a attendu mais	regarde-**moi** !	ne **me** regarde pas !
elle ne **t'**attend plus !	téléphone-**moi** !	ne **me** téléphone pas !
— Tu **me** regardes ?	obéis-**moi** !	ne **m'**obéis pas !
— Oui, je **te** regarde	prête-**moi**	ne **me** prête pas tes
—Tu **me** téléphones ?	tes crayons !	crayons !
— Non, je ne peux pas	donne-**moi** ta	ne **me** donne pas ta
te téléphoner	gomme !	gomme !
— Il ne veut pas **m'**obéir		
— Mais si, il va **t'**obéir		
— Je **te** prête mes crayons ?		
— Non, mais tu peux **me** prêter		
ta gomme.		

VOUS
PRENEZ

NOUS
PRENONS

VOUS
VOYEZ

NOUS
VOYONS

VOUS
BUVEZ

VOS

VOTRE

NOS

NOTRE

NOUS
BUVONS

DOSSIER 19
LE CLUB DES SIX

LE CLUB DES SIX ÉCRIT AU COMMISSAIRE MAIGRET

Carnac, le 22 juillet

Monsieur,

Nous sommes 3 filles et 3 garçons. **Nous avons** onze ans,
sauf Pascale. Elle a neuf ans, elle. Après l'école, **nous** jou**ons** ensemble.
On a une cabane dans le jardin de Pascale.
C'est **notre** club. **Nos** ami**s** ne connaissent pas **notre** club.
Là, **nous** parl**ons** et **nous prenons** des décisions.
On cherche un trésor. **Nous savons** que ce trésor se trouve
dans les ruines du vieux château derrière chez nous.
Nous voulons trouver ce trésor.
Nous avons un vieux manuscrit, **vous pouvez** le regarder, si **vous
voulez** bien ! D'après **notre** manuscrit, le trésor se trouve dans
un souterrain mais où est l'entrée du souterrain ?
Nous ne le **savons** pas.
Nous cherch**ons** depuis des mois.
Est-ce que **vous pouvez** nous aider ?
Vous êtes commissaire, **vous avez** toujours
de bonnes idées. **Vous** aim**ez** bien les enfants, alors
nous compt**ons** sur vous. **Votre** aide sera utile.
Nous attend**ons votre** réponse et **vos** conseil**s**.
Vos six ami**s** : Le club des six.

 ## LA RÉPONSE DU COMMISSAIRE MAIGRET AU CLUB DES SIX

Chers jeunes amis,

1. Je vous remercie de .... lettre

2. .... all**ez** garder .... manuscrit dans .... cabane.

3. Mon collègue et moi,.......... sav**ons** où se trouve .... trésor.

4. **Nous** arriv....... mercredi matin. **Nous** pouv....... vous aider.

5. Vous .... courageux mais .... ne .... pas lire !

6. Mon collègue et moi, **nous** .... spécialistes des trésors
   et **nous** .... toujours de bonnes idées.

7. **Nous** .... la réponse !

8. .... trésor n'est pas loin !

9. .... pouv**ez** compter sur nous. Mais .... **devez** venir nous attendre
   à la gare à huit heures du matin, mercredi.

   A bientôt, ... ami : Maigret.

2 VOUS POUVEZ AIDER LE CLUB DES SIX À TROUVER LE TRÉSOR ?

1. .... march**ez** dans le jardin derrière le château.

2. .... tourn**ez** à droite du grand sapin : il y a des pierres, là.

3. .... compt........ les pierres, de gauche à droite.

4. .... voy**ez** la cinquième pierre ? Elle est plus blanche que les autres.

5. .... soulev....... cette pierre. Attention !

6. Sous cette pierre, il y a de la terre, **vous** retir........ cette terre

7. **Vous** voy....... : là, se trouve l'entrée du souterrain.

8. Maintenant, ... all....... descendre dans le trou.

9. Attention, ... dev....... prendre une lampe de poche !

10. .... trésor se trouve certainement dans le souterrain.

11. .... ne parler........ à personne de .... découverte !

12. Mais .... partagerez .... trésor avec nous, d'accord ?

    .... amis, les élèves de français de ....

3 LE LANGAGE SECRET DES SIX !

1. Nous .... trouver le ③	vouloir
2. Nous .... l'aide de ⑧	demander
3. Si ⑧ nous ....,	aider
tout va bien !	
4. ⑧ ....④ pour nous aider	venir
5. Nous .... que ⑧ ....le ②	penser/trouver
6. Quand nous ....le ②, nous	avoir/donner
en .... une partie à ⑧	
7. Si ⑧ n'est pas content, nous .... tout!	garder
8. Mais nous .... que ⑧ nous .... !	penser/aimer
9. Nous......................... que notre ② se trouve	savoir
dans le ③, derrière chez nous.	

10. Vous .... nous aider, si vous .... !   pouvoir/vouloir

11. Nous vous ....   embrasser

Vos amis du club des six

Trésor	=	②
Souterrain	=	③
Mercredi matin à 8 heures	=	④
Maigret	=	⑧

JE SAIS	pour **nous**	**notre** père et **notre** mère **notre** trésor **notre** cabane **nos** affaires	⚲ et ♀ 1 +...
	pour **vous**	**votre** père et **votre** mère **votre** amie **votre** copain **vos** amis	⚲ et ♀ 1 +...
	on = nous **on** cherche un trésor = **nous** cherch**ons** un trésor		

	• Dictionnaire : ...**er**
	   ...**ir** ⟶
	   ...**re**
		nous .... **ons**
		vous .... **ez**	

Attention 1

pren**dre** :	nous **prenons**	voir :	nous **voyons**
	vous **prenez**		vous **voyez**
re**cevoir** :	nous **recevons**	croire :	nous **croyons**
	vous **recevez**		vous **croyez**
savoir :	nous **savons**	devoir :	nous **devons**
	vous **savez**		vous **devez**
pouvoir :	nous **pouvons**	vouloir :	nous **voulons**
	vous **pouvez**		vous **voulez**

Attention 2

fin**ir** :	nous fin**issons**
	vous fin**issez**
choisir :	nous chois**issons**
	vous chois**issez**
grand**ir** :	nous grand**issons**
	vous grand**issez**
conn**aître** :	nous conna**issons**
	vous conna**issez**
appar**aître** :	nous appara**issons**
	vous appara**issez**

Attention 3

lire :	nous **lisons**
	vous **lisez**
conduire :	nous **conduisons**
	vous **conduisez**
écrire :	nous **écrivons**
	vous **écrivez**
boire :	nous **buvons**
	vous **buvez**
peindre :	nous **peignons**
	vous **peignez**
se plaindre :	nous nous **plaignons**
	vous vous **plaignez**

Attention 4

être :	nous **sommes**	faire :	nous **faisons**
	vous **êtes**		vous **faites**
avoir :	nous **avons**	dire :	nous **disons**
	vous **avez**		vous **dites**

EN UNE
UN

DE LA
EN DES

EN DE L'
DU

DOSSIER 20
LE PETIT DÉJEUNER
ET LE GOÛTER

SCÈNE FAMILIALE : LE PETIT DÉJEUNER

Bruno et Sonia déjeunent avec leur maman

La mère : Bruno, apporte-moi le lait.

Bruno :   Je ne le trouve pas.

La mère :   Il est sur la table de la salle-à-manger.

Bruno :   Qu'est-ce que tu fais, maman ?

La mère : Je fais **du** chocolat au lait, tu **en** veux ?

Bruno :   Bien sûr ! J'**en** veux **une grande tasse** !

Sonia :   Maman, il y a **de la** confiture ?

La mère : Ah non, ma chérie, il n'y **en** a plus. Je vais **en** racheter aujourd'hui.

Bruno :   Eh ! Sonia ! Prends **du** beurre et **du** fromage !

Il y **en** a encore. Mais n'**en** prends pas **trop** !

La mère : Sonia ! Tu **en** mets **beaucoup trop** sur ton pain !

Prends-**en un peu** seulement !

Sonia :   Mais je n'**en** prends pas **trop**, maman !

La mère : Tu veux **des** céréales, mon chéri ?

Bruno :   Non merci, j'**en** ai **assez** comme ça. Je ne peux plus **en** manger.

1 LE PETIT DÉJEUNER (SUITE)

1. — N'oubliez pas de manger .... oranges ! Tu .... as pris, Sonia ?

— Non, mais je peux ...... apporter **une**, à l'école.

2. — Prends .... **deux**. Tu .... donneras .... à Tuca.

— Sonia, elle .... prend .... et moi, je n' .... ai pas !

3. —Toi, Bruno, tu vas prendre .... gâteaux secs et tu ...... donneras à Marc.

— Marc, ... gâteaux secs, il n' ...... mange jamais

et quand il a ...... bonbons, il ne veut pas m'......... donner.

4. — Dans notre classe, nous, on joue à faire .... gâteaux.

On prend .... œufs, ... farine, ... sucre, ... crème.

On mélange bien. On fait cuire le gâteau et après, la maîtresse

nous .... donne **un morceau** à chacun.

— Nous, ... gâteaux, on n' .... fait jamais mais .... additions,

on .... fait beaucoup !

5.— Sonia, après l'école, tu peux acheter .... pain ?

— J'...... achète combien ?

— Tu .... achètes **deux**, ça suffira !

6. — Maman, mes copains, je peux les inviter, demain soir ?

— Combien veux-tu .... inviter ? **Dix, quinze** ?

— Mais non ! Je voudrais .... inviter trois, ça va ?

— Bruno, ses copains, il les invite toujours. Et moi,
   des copines, je n' .... invite jamais !

— Chérie ! Tes copines, tu les invites souvent !
   La semaine dernière, il y .... avait **quatre** à la maison.

ES-TU GOURMAND(E) ?

1. Quand ta mère fait .... chocolat au lait,

   a) tu .... prends **une petite tasse** ❑

   b) tu .... prends **une grande tasse ou deux** ❑

2. Quand il y a ...... beurre et .... confiture au petit déjeuner,

   a) tu prends ...... beurre ou .... confiture

   et tu .... mets **un peu** sur ton pain. ❑

   b) tu prends .... beurre et .... confiture et

   tu .... mets **beaucoup** sur ton pain. ❑

3. Quand tu mets .... sucre dans ta tasse,

   a) tu .... mets **un morceau** ❑

   b) tu .... mets **deux ou trois morceaux** ❑

4. Quand ton ami(e) t'offre .... bonbons,

   a) tu .... prends **un** seulement ❑

   b) tu .... prends **plusieurs** à la fois ❑

5. Quand il y a .... crème au chocolat comme dessert,

   a) tu .... manges mais tu n' .... reprends pas

   tu dis : "Je n' ...... veux plus". ❑

   b) tu dis généralement : "J'...... veux encore !" ❑

6. Quand il y a ..... jus de fruit et .... eau sur la table,

   a) tu bois ....eau, parce que tu as soif. ❑

   b) tu bois ...... jus de fruit et tu .... prends beaucoup. ❑

LE GOÛTER DE LA CLASSE

1. — Demain, on fait une promenade au bord de la Seine

et on va goûter tous ensemble !

— Qu'est-ce qu'il faut pour le goûter ?

— D'abord, il faut choisir des volontaires il .... faut cinq, au moins !

Vous avez trouvé cinq volontaires ?

— Oui, nous ...... avons cinq : Sonia, Pierre, Bruno, Julie et Marc.

2. — Qu'est-ce qu'il faut apporter pour le goûter ?

— Il faut ...... pain, ... gâteaux .... chocolat, ... eau et ..... lait.

3. — .... pain, il .... faut combien ?

— Nous sommes dix-huit, alors, il .... faut neuf.

On ..... prend .... pour deux personnes.

4. — ...... chocolat, mon père .... vend.

Je vais lui .... demander pour nous tous !

— N'.......... prends pas trop ! Prends .... 9 tablettes au maximum.

— Avec une demi-tablette par personne, je n' .... aurai pas assez, moi !

— Eh bien, tu .... achèteras une pour toi tout seul !

5. — Ma mère fera .... gâteaux. Mais, combien il .... faut ?

— Si elle .... fait ...., ça suffira.

6. — Et qui va apporter .... bouteilles d'eau ?

— Je veux bien .... apporter ....

— Trois bouteilles d'eau ? Ça ne sera pas assez !

Il .... faut plus de trois !

7. — En tous cas, ... lait, moi je n'....... veux pas !

— Eh bien, tu vas apporter ...... jus de fruits, si tu .... as chez toi !

— J' ...... ai toujours beaucoup !

4 « L'ALIMENTATION DES JEUNES »

1. Combien de morceaux de sucre mets-tu dans ton thé ?

   ....

2. Combien manges-tu de bonbons par jour ?

   ....

3. Combien de verres d'eau bois-tu le matin ?

   ....

4. Combien de litres de lait achètes-tu par semaine ?

   ....

5. Combien de gâteaux ta mère fait-elle par semaine ?

   ....

6. Combien de fois par semaine manges-tu des carottes ?

   ....

7. Combien de fois par semaine manges-tu des haricots verts ?

   ....

8. Combien de fois par semaine manges-tu des hamburgers et des frites ?

   ....

9. Combien de tablettes de chocolat peux-tu manger tout seul ?

   ....

10. Combien d'heures de sport fais-tu par semaine ?

    ....

« L'alimentation des jeunes »

■ Un enfant doit boire un litre de lait par jour. Il lui faut peu de sucre mais beaucoup de fruits.
Il doit manger des légumes verts, du fromage et des viandes grillées, du riz, des pâtes ou des pommes de terre.
Les frites et les hamburgers, les bonbons et les boissons gazeuses ne sont pas conseillés.
Pour être en excellente santé, l'enfant doit aussi faire du sport.
Généralement, il n'en fait pas assez.■

JE SAIS

Tu as **des** frères et sœurs ?	Oui j'**en** ai **deux**.
Tu as **un** dessert préféré ?	Oui, j'**en** ai **un** : c'est la glace.
Il y a **une** cocotte-minute chez toi ?	Oui, il y **en** a **une**.
	Ah mais non, il **n'**y **en** a **pas** !
Tu bois **du** lait ?	Non, je n'**en** bois pas **beaucoup**.
Tu prends **de la** confiture ?	Oui, j'**en** prends **un peu**.

TU ES PARTI

ELLE EST PARTIE

JE SUIS PARTI

ILS ONT VU

C'ÉTAIT BEAU

ILS SONT VENUS

TU AS DIT

IL A DIT

J'AI DIT

DOSSIER 21
DÉCOUVERTE
D'UNE GROTTE

« **Découverte** »
Deux enfants et un chien ont découvert par hasard une grotte. On pense que des hommes ont vécu là il y a très longtemps.

LES VOILÀ !

« Mais qu'est-ce que vous **avez fait** tout ce temps là ?
Où étiez-vous ?
On **a** cherché partout.
Tout le monde était très inquiet. Les policiers **ont** fouillé toute la colline : ils étaient vingt et il y avait six chiens !
Nous **avons** crié, appelé. Vous n'**avez** rien entendu ?
Je vous **ai** toujours **dit** de prévenir quand vous partez !
Nous **avons eu** très peur, vous savez ! »

QUE S'EST-IL PASSÉ ?

1. Les deux enfants et le chien ....
   dispa....... pendant vingt quatre heures.

2. Leurs parents et leurs voisins .... cherch.....
   partout. Ils .... cri..... et appel...... toute la
   journée.

3. Ils .... beaucoup de bruit.

4. Mais les enfants n'....... pas ....

5. La police .... la colline.

6. Tout le monde .... très peur

disparaître →	dispar**u**
chercher →	cherch**é**
crier →	cri**é**
appeler →	appel**é**
faire →	**fait**
entendre →	entend**u**
fouiller →	fouill**é**
avoir →	**eu**

JE SAIS

J'**ai**
tu **as**
Vous **avez**
Il/elle/on **a**
nous **avons**
ils/elles **ont**

cherch**é**
fini
dit
pris
entend**u**
découv**ert**
eu
été
fait
.....

DANS UN STUDIO DE RADIO

Le journaliste :	Alors, vous **êtes** ven**us** nous parler de l'aventure extraordinaire de vos enfants !
La mère de Julien :	Oui, nous sommes encore sous le choc mais nous **sommes** ven**us**.
Le journaliste :	C'est bien vrai qu'ils **sont** rest**és** toute la nuit dans un trou ? Racontez-nous !
La mère de Julien :	Ils étaient avec leur chien Dick aux rochers du bois. A un moment, Dick **est** pass**é** sous un gros rocher et il n'**est** pas ressort**i**. Alors Julien **est** all**é** voir sous le rocher : c'était l'entrée d'un souterrain. Il a appelé Sonia, elle **est** ven**ue**. Ils ont appelé Dick : pas de réponse.
Le père de Sonia :	Oui, alors ils **sont** entr**és**. Le souterrain était en pente. C'était sombre et il faisait froid, mais ils **sont** descend**us** quand même.

DANS UN STUDIO DE RADIO (SUITE)

2

1. Ils .... rest....... un moment en silence et ils ont entendu Dick aboyer, très loin.

2. Il y avait aussi un bruit d'eau ; alors ils ...... all....encore un peu plus loin.

3. Tout à coup ils .... dans l'eau : c'était froid !

4. Julien .... de l'eau très vite.

5. Il .... sur une grosse pierre glissante.

6. Sonia .... aussi. Julien l'a aidée.

7. Ils .... longtemps là ?

8. Je ne sais pas exactement.

   Mais pour eux, c'était long, il faisait froid et noir.

   Et nous, pendant ce temps-là nous ....
   ....avertir la police !

Rester	→	rest**é**
Aller	→	all**é**
Tomber	→	tomb**é**
Sortir	→	sort**i**
Monter	→	mont**é**
Sortir	→	sort**i**
Rester	→	rest**é**
Aller	→	all**é**

- e
- s
- es

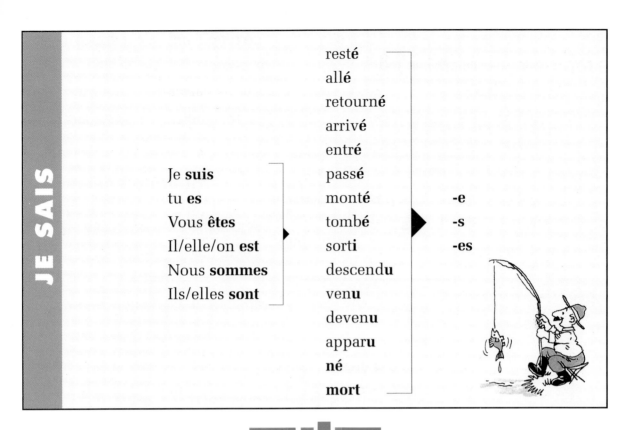

Je **suis**	resté	
tu **es**	allé	
Vous **êtes**	retourné	
Il/elle/on **est**	arrivé	
Nous **sommes**	entré	**-e**
Ils/elles **sont**	passé	**-s**
	monté	**-es**
	tombé	
	sorti	
	descendu	
	venu	
	devenu	
	apparu	
	né	
	mort	

VOILÀ CE QU'ILS ONT RACONTÉ

Julien : Il y a avait une cascade. En bas, Dick **s'est mis** à hurler.
Alors Sonia **s'est** mise à trembler. Je **me suis** souvenu que
j'avais un morceau de corde dans mon sac. Je **me suis** attaché
à un bout et Sonia **s'est** attachée à l'autre bout.
Et voilà comment nous **nous sommes** débrouillés :

ILS ONT RACONTÉ AUSSI :
Julien

1. Je **me** .... laiss..... glisser dans
la cascade, brrr !

2. Quand je suis arrivé en bas,
Dick **s'** .... jet..... sur moi.

3. Sonia : Il **s'**........ .... un peu
mal en tombant.

Se laisser → laiss**é**

Se jeter → jet**é**

Se faire → **fait**

119

4. Et moi, je **me** .... dans le

noir : j'avais peur, je **me** ....

et j'ai chanté.

5. En bas, Dick et Julien **se**...... ....

un peu en sautant et en jouant.

6. Julien : Nous **nous** ....

tout le temps pour ne pas avoir peur.

7. A un moment, Dick **s'**..... ....

8. Et il **s'**................................

se retrouver	→	retrouv**é**	
s'asseoir	→	ass**is**	
se réchauffer	→	réchauff**é**	- e
			- s
s'amuser	→	amus**é**	- es
se coucher	→	couch**é**	
s'endormir	→	endorm**i**	

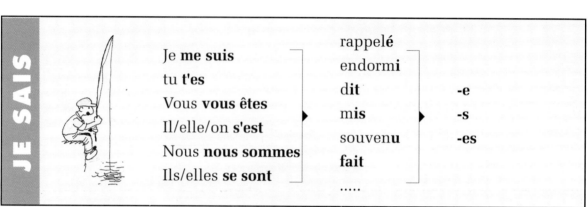
ILS ONT RACONTÉ ENCORE

1. Tout à coup, Julien .... une lumière

au-dessus de lui.

2. Alors, il .... et il

.... voir de plus près.

3. Il .... un autre passage.

4. Il .... à Sonia de sauter dans la cascade.

5. Elle avait peur mais finalement

elle ....

6. Elle ne ...., pas ....

7. Ils .... par un souterrain très étroit.

8. Ils .... sous un autre rocher,

à vingt cinq mètres du premier.

apercevoir

se détacher

aller

découvrir

dire

se décider

se blesser

remonter

resortir

COMMENT C'ÉTAIT ?

— Dis, Julien, comment c'**était** dans la grotte ?
— C'**était** super ! Mais il **faisait** froid et noir.
On ne **pouvait** presque rien voir. Il y **avait**
des gouttes qui **tombaient**. On **avait** un peu peur.

VOILÀ COMMENT C'ÉTAIT

1. — Il y .... des bêtes ?

2. — Non, on n'en a pas vu. Mais il y .... des stalactites
   et des stalagmites.

   Ils .... énormes.

   C' .... beau !

3. — Mais tu dis qu'il .... noir.

4. — Oui, mai j' .... ma lampe de poche.

   On .... voir un peu !

avoir

être

faire

pouvoir

JE SAIS

Ils ont découvert une grotte.

Ils sont entrés dans un souterrain :

Ils sont restés toute la nuit

Ils **étaient** avec leur chien.

c'**était** sombre, il **faisait** froid,

il y **avait** de l'eau, ils ne **pouvaient**

pas rester debout.

6 DES HOMMES CÉLÈBRES

Qu'est-ce qu'ils ont découvert ?

Qu'est-ce qu'ils ont fait d'extraordinaire ?

1. Einstein ....

2. Christophe Colomb ....

3. Gutenberg ....

4. Les Frères Lumière ....

5. Louis Pasteur ....

6. Armstrong ....

⑦ LE CLUB DES SIX

La découverte du trésor

aller   voir   se blesser

monter   descendre   ouvrir

soulever   tomber   découvrir

Les 6 amis ....

....

....

....

....

....

....

....

....

Raconte-la !

....

....

JE SAIS

1. Dictionnaire :

aider	→	aid**é**
aller	→	all**é**
rencontrer	→	rencontr**é**
...		...

2.

Finir	→	fin**i**
choisir	→	chois**i**
dormir	→	-dorm**i**
partir	→	part**i**
...		...
suivre	→	suiv**i**
...		...

3.

écrire	→	écri**t**
dire	→	**d**i**t**
conduire	→	condu**it**
...		...

4.

mettre		mis
admettre		
...		

prendre		pr**is**
apprendre		
comprendre		
...		...

5.

ouvrir		ouv**ert**
couvrir		...
découvrir		
...		
offrir	→	off**ert**

6.

attendre	→	attend**u**
entendre	→	entend**u**
perdre	→	perd**u**
répondre	→	répond**u**
connaître	→	conn**u**

venir		ven**u**
devenir		
...		
tenir		ten**u**
obtenir		
...		

courir	→	cour**u**
lire	→	**lu**
vivre	→	véc**u**
vouloir	→	voul**u**
falloir	→	fall**u**
recevoir	→	re**çu**
décevoir	→	dé**çu**
voir	→	**vu**
boire	→	**bu**
savoir	→	**su**
pouvoir	→	**pu**
devoir	→	**dû**
pleuvoir	→	**plu**
plaire	→	**plu**

7.

peindre	→	**p**ein**t**
plaindre	→	**plain**t
...		...

8.

être	→	**été**
avoir	→	**eu**
faire	→	**fait**
naître	→	**né**
mourir	→	**mort**

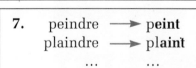

123

DOSSIER 22
POUR SON
ANNIVERSAIRE

QU'EST-CE QU'ELLE SOUHAITERAIT AVOIR ?

— Dis maman, pour ton anniversaire, qu'est-ce que tu vou**drais** comme cadeau ?

— Euh… J'aim**erais**… Je ne sais pas… Ce que vous voulez ! Une surprise !

QU'EST-CE QU'ILS AIMERAIENT LUI OFFRIR ?

1. — Moi, j'.............. lui offrir un four à micro-ondes. | aimer

2. — Ah non ! Pas un appareil pour la cuisine ! A mon avis,

   elle .... un beau foulard. | préférer

3. — Mais non ! Elle a déjà plein de vêtements !

   Je pense qu'elle .... plutôt avoir une encyclopédie ! | vouloir

4. — Moi, je .... bien qu'on lui offre un nouveau sac, | vouloir

   son sac est tout vieux !

   5. — C'est une bonne idée ! Mais elle .... sûrement | souhaiter

   avoir un porte-feuille assorti.

ON POURRAIT ORGANISER UNE FÊTE.

— Vous **devriez** apporter des feux d'artifice.
— Alors, il **faudrait** faire la fête le soir.
— Bien sûr ! Vous **pourriez** aussi composer une petite chanson.
  Et toi, Sophie, tu **pourrais** la chanter !

ILS ONT BEAUCOUP D'AUTRES IDÉES

1. On .... se déguiser. | pouvoir

2. Bonne idée, mais il .... prévenir tout le monde. | falloir

3. En quoi je .... me déguiser ? | pouvoir

4. J'ai une idée : on .... tous se déguiser en Hungawas ! | devoir

DONNE-LEUR DES CONSEILS.

1. Vous .... faire un énorme gâteau avec trente bougies. | devoir

2. Vous .... aussi apporter un bouquet de fleurs. | pouvoir

3. Il .... un orchestre. Ce serait bien. | falloir

4. Vous .... préparer un petit spectacle. | devoir

5. Toi, Bruno, tu .... réciter un poème. | devoir.

 ## ILS DEMANDENT DE L'AIDE

1. Dis, Bernard, tu .... nous prêter ta guitare ? | pouvoir

2. Jean, je vais chanter, tu .... bien | vouloir

   m'accompagner au piano ?

3. Vous .... nous aider pour le gâteau, vous deux ? | pouvoir

4. Papa et oncle Henri, vous .... bien nous filmer | vouloir

   pendant le spectacle ?

 ## DONNE-LEUR DES CONSEILS.

126

6 ON PEUT TOUJOURS DEMANDER !

1. Marc voudrait acheter un nouveau walkman mais il n'a pas assez d'argent.

   «Papa ! ....»

2. Bruno ne peut pas réparer son vélo. Charly a un beau vélo tout neuf.

   «Charly, ...»

3. Sonia veut regarder un film à la télévision à 22 heures.

   «Maman, ... »

4. Marc voudrait aller à la piscine avec son copain mais la piscine

   est loin et il pleut.

   «Papa, ...»

7 RÊVONS UN PEU !

1. Qu'est ce que tu aimerais pour ton anniversaire ?

   ....

2. Dans quel pays aimerais-tu vivre ?

   ....

3. Quel métier voudrais-tu faire ?

   ....

4. Quel animal aimerais-tu avoir ?

   ....

5. Quel animal aimerais-tu être ?

   ....

8 PRÉPAREZ UNE FÊTE POUR VOTRE CLASSE

Vous avez des idées ?

....

....

....

....

....

● Dictionnaire

Aimer souhaiter préférer :	je tu il/elle/on nous vous elles/ils	▶	**aimer** **souhaiter** **préférer**	▶	ais ais ait ions iez aient
Vouloir :	je tu il/elle/on nous vous elles/ils	▶	**voudr**	▶	ais ais ait ions iez aient
Pouvoir :	je tu il/elle/on nous vous elles/ils	▶	**pourr**	▶	ais ais ait ions iez aient
Devoir :	je tu il/elle/on nous vous elles/ils	▶	**devr**	▶	ais ais ait ions iez aient
Falloir	**Il faudrait**				

Mame Imprimeurs, Tours – Dépôt légal : avril 1993 (N° 29969)